CÓMO...
LO QUE USTED QUIERE
CON EL DINERO QUE TIENE

CÓMO OBTENER LO QUE USTED QUIERE CON EL DINERO QUE TIENE

CAROL KEEFFE

Traducción
Helena Salazar

GRUPO
EDITORIAL
norma

Barcelona, Bogotá, Buenos Aires, Caracas, Guatemala,
México, Miami, Panamá, Quito, San José, San Juan,
San Salvador, Santiago de Chile.

Edición original en inglés:
HOW TO GET WHAT YOU WANT IN LIFE WITH THE MONEY YOU ALREADY HAVE
de Carol Keeffe.
Una publicación de Little, Brown & Company Boston, U.S.A.
Copyright © 1995 por Carol Keeffe.

Copyright © 1995 para América Latina
por Editorial Norma S. A.
Apartado Aéreo 53550, Bogotá, Colombia.
Reservados todos los derechos.
Prohibida la reproducción total o parcial de este libro,
por cualquier medio, sin permiso escrito de la Editorial.
Impreso por Cargraphics S. A. — Impresión Digital
Impreso en Colombia — Printed in Colombia

Dirección editorial, María del Mar Ravassa G.
Edición, Juan Fernando Esguerra, María Lucrecia Monárez
Diseño de cubierta, María Clara Salazar

ISBN: 958-04-3065-9

12 11 10 9 8 7 6 5   02 01 00 99 98

Dedico este libro a mis hijos,
Dominic y Mario,
quienes siempre me han animado a dar lo mejor de mí.
Saludo al soñador, investigador, amigo, escritor,
inventor, atleta, compañero de juegos, creador
y genio que hay en cada uno de ustedes.
Espero que siempre escuchen su voz interior
y tengan la valentía de seguir el camino
que ella les propone.

CONTENIDO

INTRODUCCIÓN

Cualquiera que fuese el dinero que ganara, lo gastaba todo.

Cuando era joven y soltera, gastaba todo mi dinero. Mientras estuve casada (contábamos con dos ingresos, no teníamos hijos y pagábamos un arriendo de $95* mensuales), mi esposo y yo gastábamos todo nuestro dinero. Si yo ganaba más, gastaba más. Cualquiera que fuese el dinero que tuviera, nunca era suficiente.

A medida que fueron pasando los años, las cuentas empezaron a crecer. Pronto nos parecieron abrumadoras. Mi meta en la vida era lograr pagar las cuentas. Siempre me decía: "Cuando acabe de pagar las cuentas, *entonces* empezaré a ahorrar. Cuando acabe de pagar las cuentas, *entonces* llevaré a los niños a Disneylandia. Cuando acabe de pagar las cuentas, entonces.... entonces.... Mientras tanto, crecían las cuentas, aumentaba mi ansiedad y la vida estaba en vilo.

Finalmente, me percaté de que mientras yo esté viva siempre habrá ropa para lavar, loza que fregar y cuentas por pagar. Enfrenté el hecho de que el enfoque "dejaré mis sueños para después" no estaba funcionando y empecé a darle un vuelco a mi relación con el dinero.

---

*Las cifras que aparecen en este libro corresponden a dólares estadounidenses.

No soy una experta en finanzas, ni soy graduada en administración de empresas, ni tampoco licenciada en materia alguna relacionada con el dinero. Soy una persona común y corriente, con un salario normal, que descubrió métodos que funcionan para manejar el dinero. He pasado de sentirme desesperada y desilusionada a comprender que tengo opciones con mi dinero. Pasé del desperdicio sin sentido y de creer que la aventura era sólo para los demás (quienes, pensaba yo, tenían más dinero que yo) a concentrarme en mis deseos y en hacerlos realidad.

Este libro trata acerca de valores y opciones: las suyas. Trata acerca de cómo conseguir lo que para usted tiene mayor sentido en la vida. Le enseñaré métodos fáciles y eficaces para manejar el dinero, de manera que pueda hacer la mayor parte del tiempo lo que le gusta, y de que las cuentas dejen de tener sobre usted el poder que antes tenían.

El hecho de que usted haya elegido leer este libro es significativo: muestra que ha tomado el control. El dinero es, tal vez, el elemento más formidable y más intimidante en nuestras vidas. Su decisión de leer y aprender prueba que usted tiene el deseo —y el valor para lograrlo— de que el dinero "difícil de conseguir" trabaje para usted.

Este libro trata sobre cómo traer nuevamente a su vida un poco de *diversión*, ahora, con el dinero que usted tiene actualmente. Es una herramienta para mejorar la calidad de su vida. Aprenderá cómo eliminar sus deudas a plazos sin dificultad y cómo inyectarle a su vida más satisfacción, emoción y aventura.

Este enfoque del dinero funciona porque es fácil, divertido y factible. Bien usted viva con $6 000, $60 000, o bien con $600 000 al año, este libro le ayudará. *Usted* es quien decide aquí. No se le dirá lo que debe hacer; sino que se le preguntará: "¿Qué es lo que quiere?" Entonces *usted* elegirá, basado en lo que usted más valora en la vida.

Hay personas que han dicho: "Yo llegué a regañadientes a su seminario sobre el dinero". Usted también puede estar escéptico y desconfiado, preguntándose por qué estos consejos sobre el dinero pueden ser distintos de los demás. Usted ha aprendido que la mayoría de los consejos sobre dinero no ayudan. Es más: a menudo han sido decepcionantes y le han hecho perder las esperanzas. Con este método no volverá a desesperarse. Se sentirá estimulado porque es fácil, funciona y usted obtendrá resultados inmediatamente.

Kate dice: "Mi principal sensación es de dominio. Siento que el dinero ya no tiene control sobre mí. Yo decido cómo gasto mi dinero. Es un dinero que he trabajado duramente y quiero gastarlo sabiamente. ¡Ahora tenemos dinero para cosas divertidas! Nunca pensamos que podríamos tener dinero para cosas divertidas". Una y otra vez, la gente me dice que esto es lo que había estado buscando toda la vida. Había asistido a seminarios financieros, había leído libros, y nada le había ayudado... hasta ahora.

"Hace varios años, mi empresa de contaduría trató de entrar en el campo de la planificación financiera personal, y fallamos infortunadamente en nuestro intento — dice Tim, un contador público —. Lo que no comprendimos fue que la gran mayoría de nuestros clientes no necesitaban planificación financiera; lo que necesitaban era tomar este curso. Cómo puede la gente preocuparse por planear sus inversiones si: 1) no tiene dinero, 2) gasta todo lo que gana, 3) debe sumas substanciales en préstamos a plazos. Sin la perspectiva y la visión de fondo que se adquieren al tomar este curso, la mayoría de la gente no tiene otra posibilidad que pasarse la vida de quincena en quincena. Ahora comprendo cuán contrario y radicalmente diferente es el tema de este seminario al del pensamiento financiero contemporáneo. Qué refrescante ha sido observar la aplicación de un método simple y básico a una experiencia que entraña la posibilidad de cambiar la vida. Espero que usted continúe convirtiendo a la gente a la idea de que lo que es simple y comprensible, también es bueno. ¡Es tanta la gente que piensa que para que algo sea bueno tiene que ser complejo!"

Tim tiene razón. Usted no encontrará aquí una jerga económica intimidante, ni listas de lo que usted "debiera" estar haciendo con su dinero que le causen sentimientos de culpa. Las inculpaciones, los "debiera" y los "tengo que" se eliminaron. Usted no tendrá que moverse con dificultad a través de planes presupuestales o fórmulas intrincadas. Al contrario: disfrutará de los juegos monetarios que le ayudarán a realizar sus sueños.

Estas ideas no surgieron de la noche a la mañana. No son ideas que *puede que* funcionen. Han sido ensayadas, probadas, y *se garantiza* que funcionan. Miles de personas que han asistido a mis seminarios desde 1982 lo pueden certificar. Hoy experimentan el sentimiento, profundamente satisfactorio, de tener control sobre su dinero y su vida. Las cuentas ya no consumen toda su atención y sus energías. La pesadilla de las cuentas se acabó. Kate continúa diciendo: "Estábamos muy endeudados, debíamos algo así como $20 000. Lo que psicológicamente nos ayudaba era que teníamos varias cuentas de ahorro, asignada cada una a distintas cosas. Acabamos de tomar unas cortas vacaciones y ¡las pagamos en efectivo! Estamos realmente orgullosos de nosotros mismos. No utilizamos tarjetas de crédito para nada. Es realmente diferente. ¡Podemos vivir con el dinero que ganamos y además pagar las cuentas!"

Con estas ideas, usted verá cómo su energía se traslada hacia lo que *realmente le importa* en la vida. Aprenderá a permitirse a usted mismo alcanzar sus metas y gozarlas cuando las logre. Teresa escribe: "En los tres años pasados, desde que asistimos a su seminario, mi esposo y yo hemos tenido dos hijos, nos redujimos de dos a un ingreso y ¡hemos ahorrado $12 375! ¡No sólo nos las estamos arreglando con sólo un ingreso, sino que además estamos ahorrando para lograr nuestra próxima meta!"

En este momento, usted debe estar pensando: "Ya sé lo que se avecina: 'Pague sus deudas rápidamente, no vaya tanto a restaurantes y ahorre el diez por ciento de lo que gana'. No. Usted no desea que le digan lo que tiene que hacer, y además, ese viejo punto de vista acerca del dinero es deprimente, no es en absoluto divertido y, francamente, no funciona.

Lo que aprenderá es una simple y realizable manera de gastar el dinero que le permitirá controlar la situación. ¿El resultado? Se sentirá relajado y seguro de sí mismo. Logrará la habilidad para obtener lo que siempre ha querido. Y lo mejor de todo es que se sentirá motivado. Querrá tratar de lograrlo.

Es su dinero. Usted está en el lugar del conductor. Se dará cuenta de que tiene innumerables opciones con su vida y con su dinero. Cheryl escribe: "La energía que he obtenido de esta manera de considerar el dinero se extiende a mis ejercicios habituales, a mi comportamiento como madre y a mi cumplimiento en el trabajo. Mis ideas se están ampliando. El dinero ha dejado de ser un fantasma para convertirse más bien en una herramienta con la cual le doy forma a mi vida. Me siento más segura, más positiva y más activa. Puedo expresar quién soy y qué quiero en una forma más completa".

Sin darnos cuenta, la mayoría de nosotros nos hemos contentado con breves momentos de felicidad en lugar de experimentar la profunda satisfacción interior que proviene de vivir para aquello que es realmente importante para nosotros. A medida que vaya leyendo, empezará a creer que usted merece alcanzar sus metas. Pensará que no solamente está bien sino que, además, es bueno gastar algo del dinero devengado con esfuerzo en algo que le proporcione un hondo sentido de satisfacción. Comprobará que su vida entera está cambiando hacia algo mejor: *obtenerlo todo con el dinero que usted ya tiene.*

UNO

No tengo ningún dinero. Entonces, ¿para qué sirve este libro?

Apéguese a los sueños
pues si se desvanecen
la vida es un campo estéril
congelado por la nieve.

— Langston Hughes

"Bueno, esta semana es día de pago para los dos. Durante tres días nos sentiremos ricos ¡y luego se habrá ido todo!"

— *Azafata de avión casada con un conductor de un servicio de encomiendas.*

"Siento como si nunca tuviera suficiente. Al hacer la declaración de renta, mi esposo y yo calculamos nuestro ingreso. Quedamos asombrados de la cantidad de dinero que habíamos producido. Era mucho más de lo que pensábamos. Hicimos una pausa y nos preguntamos: '¿A dónde se habrá ido todo?'"

— *Contadora pública casada con un ingeniero.*

"Siento que no puedo controlar el dinero. Cualquiera que sea la cantidad que gane, gasto demasiado pero nunca tengo la sensación de estar gastando mucho. Es como si se escapara por entre las rendijas. Estoy endeudado y me gustaría salir de deudas y hacer borrón y cuenta nueva. Me gustaría ahorrar para cosas que quiero, como viajar o mudarme a un apartamento más grande. Actualmente, me cuesta trabajo imaginar que tengo dinero suficiente para hacer las cosas básicas de la vida, tales como tener hijos, vivir en una casa, tener un jardín, etc. Estas cosas que, al parecer, están al alcance de mucha gente, me parecen sueños imposibles".

— *Artista que trabaja como representante de servicios al cliente en una compañía de materiales de arte.*

"Estoy cansado de estar endeudado y de vivir de quincena en quincena. Faltándome sólo quince años más de trabajo, me preocupan los ingresos que tendré cuando me jubile (o la falta de ellos). Tengo muy pocos ahorros y ninguna inversión".

— *Supervisor de un departamento de préstamos.*

"Siento que nunca tengo suficiente dinero para todo lo que quiero. Me encantaría poder gastar más. En general, soy muy cuidadoso pero, a veces, siento que estoy en apuros; por ejemplo, si mi automóvil tiene un problema. Tengo, además, deudas en dos tarjetas de crédito. Me preocupa cuánto tiempo me tomará pagarlas".

— Representante de servicios al cliente.

Aunque cada uno de estos casos es único, hay un tema recurrente: un sentimiento de impotencia ante el dinero. Cualquiera que sea nuestro ingreso, parecemos tener en común lo siguiente:

✦ Gastamos más de lo que tenemos.
✦ Tenemos poco o ningún dinero ahorrado.
✦ Tenemos cuentas a plazos (tratamos de salir de ellas, pero siguen apareciendo).
✦ Experimentamos un sentimiento de desamparo ante las cuentas.
✦ Carecemos de un plan "maestro" monetario a largo plazo.

Cuando por fin enfrenté mi propio caso, comprendí que la solución no era más dinero; era aprender a manejar el dinero que tenía.

Después de trabajar con varios miles de personas, he identificado un patrón común:

✦ Tendemos a desperdiciar dinero en el intento de traer a nuestra vida un poco de diversión (puesto que sentimos que no hay dinero para "cosas grandes", nos permitimos pequeños placeres, como un café exprés, revistas, idas al cine o a un restaurante.

✦ Ahorramos poco o nada.

✦ Nos convertimos en víctimas de las cuentas. Nuestra actitud es: "Pobre de mí, siempre estaré tratando de hacer equilibrios para vivir".

✦ Nos concentramos en nuestras cuentas y nos dedicamos a tratar de pagarlas. Cuando eliminar las deudas es nuestra meta, los sueños y la diversión se desvanecen.

✦ Inconscientemente, nuestro pensamiento se transforma en: "La felicidad es equivalente a saldar las deudas". No nos hemos preguntado: "¿Qué me haría realmente feliz?"

No hay por qué sorprenderse si la vida ha perdido su ímpetu. Cada mes dedicamos la mayor cantidad posible de dinero a pagar cuentas. Algunas personas incluso consiguen un trabajo extra o trabajan horas extras, sólo para reducir o eliminar las deudas. En el esfuerzo por dominar el monstruo de las cuentas, perdemos la calidad de nuestra vida. La vida se reduce a dos hechos: trabajo y cuentas.

Cómo volver a darle sabor a nuestra vida es, precisamente, el tema de este libro. El hecho de que usted lo esté leyendo indica que desea tomar las riendas de su vida: que quiere más paz, más satisfacción y más sueños realizados. He aprendido, a lo largo de los años, que cualquiera que asiste a mis seminarios sobre el dinero está un paso más adelante de los demás. Que su situación monetaria sea satisfactoria o que sea frustrante, su decisión de aprender más lo dice todo.

A medida que avance en la lectura, conocerá mis propias experiencias con el dinero, al igual que las de otras personas, que le contaré para ilustrar cómo conseguir lo mejor de los dos mundos: diversión hoy y mañana. Aprenderá cómo controlar su dinero y cómo cambiar sus circunstancias para mejorar. Obtendrá tanto la inspiración como los instrumentos para darle un vuelco a su situación económica, ahora mismo, con el dinero del cual dispone.

A medida que vaya leyendo y ponga a prueba algunas de las ideas de este libro, irá aprendiendo a establecer las prioridades para conseguir lo que realmente quiere en la vida. Seguramente usted habrá oído decir que "la gente no planea el fracaso: fracasa por no planear". Usted hará su propio plan monetario basado en lo que usted ama y valora más. Será un plan hecho a su medida.

En el siguiente caso, usted vislumbrará por qué la mayoría de las personas no han sido capaces de idear un plan monetario que funcione.

Marcus llegó a mí porque se sentía atrapado. "Tengo deudas en tarjetas de crédito cercanas a los $10 000 y devengo $30 000 al año. ¿Cómo puedo pagar mi deuda y volver a estudiar?", se preguntaba.

Cuando quise saber cómo las deudas afectaban su vida diaria, me dijo: "Se parece a un túnel negro y denso, sin luz al final. Con sólo pensar en las cuentas me siento tenso y fatigado".

A regañadientes, me contó que un compañero de trabajo lo había descrito como "un hombre frío y obsesivo", y que estas palabras lo habían afectado profundamente. Tristemente, admitió, eran ciertas.

Me explicó que había ido al médico porque estaba aumentando de peso y le tenía miedo a la hipertensión arterial (¡a los veintinueve!) y, además, le había salido un brote en los brazos. El médico le aseguró que el problema era de estrés y le preguntó qué le gustaría hacer, si pudiera hacer cualquier cosa en la vida. (¡Inteligente médico!) Marcus respondió: "Trabajar como enfermero o auxiliar de un médico en un país del tercer mundo".

Me sorprendió la claridad de Marcus. La mayoría de las personas nunca se han preguntado a sí mismas: "¿Qué deseo yo en la vida?" Le pedí que se imaginara cómo sería si tuviera una base económica sólida. Sonrió, se relajó y dijo: "Sería como sentarse en una pradera de flores silvestres a la orilla de un lago en un hermoso día. Me sentiría en paz". En seguida me comunicó su deseo de tener un piano y su anhelo de viajar a Rusia.

Dados sus claros deseos, me sorprendí con lo que ocurrió cuando empezamos a hablar sobre un plan de acción. "Bueno — dijo Marcus en un tono sin vida —, ya sé que tendré que empezar a abandonar ciertas cosas de las cuales realmente disfruto, como un costoso café y las comidas fuera de casa, para poder pagar las cuentas". Tan pronto como hablé de elaborar un plan, su mente se concentró en la eliminación de las deudas. Supuso que tendría que empezar a sacrificarse; su entusiasmo respecto a sus metas se desvaneció.

A través de Marcus, vislumbré cómo funciona nuestra mente. Vi cuán rápidamente pasamos de la excitación de nuestros sueños y metas a la severidad del mensaje de tipo paterno "ordene su cuarto" o, como en este caso, "pague sus cuentas a plazos". El ciclo de autofrustración funciona así: odiamos las deudas; por lo tanto, tratamos desesperadamente de salir de ellas. La meta se vuelve saldar las deudas. ¿El resultado de esta clase de meta? Trabajamos más duro y más horas para obtener más dinero. Esto crea más tensión, más estrés y más necesidad de "costosos cafés y comidas fuera de casa" para conseguir un poco de paz interior y relajación.

Como respuesta a la suposición de Marcus, de que tendría que privarse de los placeres simples de la vida, tomé una hoja de papel y la dividí en seis partes. En una escribí CUENTAS A PLAZOS; en las otras ALQUILER, COMI-

DA, ROPA, MISCELÁNEOS (gasolina, dentífrico, pilas...) y METAS (piano, viaje y escuela de enfermería). Coloqué en primer lugar la parte rotulada "CUENTAS A PLAZOS, en seguida ALQUILER, etc. y, por último, METAS.

CUENTAS A PLAZOS

ALQUILER

COMIDA

ROPA

MISCELÁNEOS

METAS

Examinamos esta lista de prioridades y conversamos sobre lo que se siente al levantarse por la mañana, día tras día, cuando el propósito de la vida es "pagar las cuentas". Marcus se veía sombrío.

Entonces, tomé el último pedazo de papel, METAS (piano, viaje y escuela de enfermería), y lo situé en cabeza de la lista de prioridades. Coloqué luego el de CUENTAS A PLAZOS en último lugar, dejando los gastos normales entre los dos.

METAS

ALQUILER

COMIDA

ROPA

MISCELÁNEOS

CUENTAS A PLAZOS

Marcus se inclinó hacia adelante. "¡No lo puedo creer! Yo nunca hubiera hecho eso, pero está empezando a adquirir sentido". Dijo que había estado pensando en conseguir un trabajo de media jornada (además del turno nocturno de doce horas en computadores) pero sus amigos habían logrado disuadirlo. Entonces su rostro se iluminó. "¡Ya entendí! Antes, iba a conseguir más trabajo y más estrés para hacer abonos mayores a las cuentas, sin dedicar nunca nada a obtener lo que realmente quiero".

Si Marcus hubiera conseguido un trabajo extra, es probable que sus cuentas habrían aumentado, no disminuido. Con más horas de trabajo, su organismo hubiera necesitado más descanso, relajación y salud mental. Y él habría gastado más dinero "comprando" paz interior a través de comida, ropa, alcohol. No solamente la tensión habría sido mayor, sino que sus sueños, que son el alma y nervio de la felicidad interior, se habrían alejado más que nunca de la posibilidad de convertirse en realidad.

Ésta es la trampa en que la mayoría de nosotros caemos; hemos puesto nuestra vida en suspenso mientras esperamos y confiamos en que nuestras finanzas mejoren. Quedé impresionada con Marcus. Ya estaba, a la edad de veintinueve años, reorganizando su vida. Si usted es un poco mayor que Marcus, y, justamente ahora está enfrentando su dilema económico, sé que puede ser doloroso. Es difícil mirar hacia atrás y ver tantos años de privaciones, cancelaciones y esperas, ¡sólo para descubrir que estamos casi en el mismo lugar en que empezamos!

Esto me recuerda a una mujer que quería ser abogada, pero dijo: "No puedo porque ya tengo cuarenta y cinco años y pasarán por lo menos siete años antes que pueda graduarme". La sabia respuesta de su amiga fue: "¿Cuántos años tendrás dentro de siete años si *no* estudias y *no* te gradúas de abogada?"

Es hora de darle una nueva mirada a las cosas. La pregunta que debemos hacernos es: "¿Qué me proporciona alegría? ¿Cuándo experimento esa maravillosa sensación de satisfacción? ¿Qué es lo que quiero realmente en la vida?"

Durante demasiado tiempo hemos pospuesto el vivir,

esperando que las cosas se arreglen, los tiempos difíciles se acaben, las cuentas estén pagadas. Recientemente, me contaron de un joven que vivía en su automóvil. Un día, cuando estaba conversando sobre su pasión por la música, le ofrecieron el uso de un piano. En sólo una semana, había conseguido un empleo de media jornada y un profesor de piano, y estaba empezando a ahorrar para comprar su propio instrumento. ¿Qué había sucedido? Había encontrado una motivación.

La mayoría de la gente en su situación nunca habría pensado en seguir el impulso de su corazón. El sentimiento de culpa y la presión que ejercen los padres, los amigos y la sociedad lo habrían abrumado. "¡No puedes vivir en tu automóvil! Es vergonzoso. Busca un empleo y un lugar decente donde vivir". Éste hubiera sido el principio y el fin del mensaje y del punto de vista.

No estoy sugiriendo que seamos irresponsables. Estoy sugiriendo que examinemos la manera como hemos sido influidos para pensar y actuar. El mensaje de "allá afuera" es claro: "Primero ponga su vida en orden, y después (si ese día llega) busque en su corazón, en sus sueños". Podemos aprender de ese joven que vivía en su automóvil. Cuando se sintió motivado, su vida empezó instantáneamente a dar un vuelco. Tenía una razón para levantarse, una razón para conseguir un empleo, una razón para ir a trabajar. Tomó las riendas de su vida y despegó, con la pasión por la música dirigiendo su camino.

En un seminario, una tarde, tuvimos la oportunidad de profundizar en este tema. Jeanette comentó que estaba segura de haber nacido para componer y tocar música. Su meta era ser propietaria de un piano para poder componer nuevamente. Explicó que trabajaba en un empleo que no le gustaba y que debía miles en préstamos a plazos. "Me arrastro por la vida sintiéndome agobiada y exhausta".

Continué la clase, pidiéndole al grupo que se concentrara más intensamente en lo que realmente quería cada uno en la vida, cuando Jeanette, sintiéndose frustrada, preguntó: "¿Cómo puedo siquiera pensar en mi meta de comprar un piano, cuando debo tanto dinero? Mis padres y mis amigos me acusarían de irresponsable. Me siento culpable de sólo pensar en tener un piano".

Le pregunté al resto del grupo si podía identificarse con lo que estaba sintiendo Jeanette. Todos asintieron. Entonces pregunté: "¿Qué piensan ustedes que harían los padres y los amigos de Jeanette si ella empezara a ahorrar para un piano? ¿Qué pasaría si la vieran disfrutando de la vida al mismo tiempo que paga sus deudas?" "Se pondrían furiosos", dijo alguien. "Les darían celos porque ella está realizando sus sueños y ellos no", comentó alguien más. "Ellos quieren tener dominio sobre ella, y, por lo tanto, se volverían todavía más severos, exigiéndole responsabilidad, haciéndola sentirse culpable por desear tener un piano cuando todavía debe dinero".

Gracias a que Jeanette compartió sus problemas, el mensaje que estaba formándose en cada uno de nosotros se aclaró. Trabaje primero, juegue después. No puede haber invitados mientras la casa no esté limpia. Nada de diversión mientras no se paguen las deudas.

No hemos sido educados para dar prioridad y tomar decisiones basándonos en nuestros propios valores acerca del dinero. Muchas personas han dicho en mis seminarios: "Mi problema es que juego demasiado. Disfruto comiendo fuera y permitiéndome pequeños lujos, pero cuando es hora de pagar las cuentas, nunca hay suficiente". Bien estemos dándoles a las deudas la mayor prioridad y aplazando la vida hasta que desaparezcan, o bien estemos dejando de lado las responsabilidades financieras mientras nos divertimos, los resultados son los mismos. No estamos obteniendo la satisfacción interior de sentir que controlamos nuestro dinero, ni experimentando la íntima felicidad que acompaña al logro de lo que uno desea realmente en la vida.

¿Qué puede ayudarnos a abandonar nuestros antiguos modelos que no están funcionando? ¿Qué puede ayudarnos a empezar de cero para buscar lo que queremos en la vida? La respuesta es: sentirnos motivados.

¿Qué sucedería si le regalaran unos boletos para un espectáculo al cual desea asistir: un concierto con su cantante favorito, la entrega de los premios Óscar, o para ir de vacaciones a un lugar soñado? ¡Si los tuviera en sus manos, se sentiría motivado! Trabajaría más duro y más rápido y haría cualquier cosa para poder aprovecharlos.

Repentinamente, tendría la energía que le faltaba antes de recibirlos. Ahora, no sólo estaría pensando en el espectáculo y hablando sobre él; ahora, iría. Si toda esta excitación y eficiencia ocurriese al regalarle alguien unos boletos, imagínese qué habría sucedido si quien hubiera planeado y efectuado la compra de los billetes hubiera sido *usted mismo*.

Conseguir los billetes uno mismo significa descubrir lo que a uno le gusta en la vida y decidir obtenerlo. Significa empezar a vivir ahora, sin importar si las cuentas están todas pagadas, ni si la vida está o no bajo control.

Permítale a su mente divagar sobre las cosas que a usted le encanta hacer. Sueñe despierto pensando en las actividades, las personas, los lugares y los pasatiempos que le producen satisfacción. Mantenga esta puerta de los sueños abierta durante los próximos días y semanas y anote cada idea que le venga a la mente. Rememore la época en que era niño y los momentos en que fue más feliz. Descubra las particularidades de cada uno: ¿Exactamente qué fue lo que hizo que fueran tan especiales? ¿Cuáles lugares había planeado conocer hasta el día de hoy? ¿Cuáles son algunas de las cosas que deseó tener y hacer?

Lo que estamos haciendo es trasladando nuestra energía y nuestra visión de las cosas desde el camino sin salida en donde nuestra vida está en suspenso hasta el camino abierto y satisfactorio en el cual le damos un sentido a nuestra vida *hoy*.

Seguramente debe estar protestando para sus adentros: "¡Usted no entiende! Usted no tiene las deudas que tengo yo. Usted no tiene los obstáculos... el monstruoso costo de vida... las angustias". Es cierto. Yo no conozco sus circunstancias personales. Debe de tener muchos problemas, incluso algunos que le parecen insolubles. Probablemente todos nos hemos dicho: "Empezaré cuando las cosas se hayan estabilizado", o: "Empezaré cuando las cosas vuelvan a la normalidad". Mientras tanto, la vida pasa de largo.

DIVIÉRTASE CON SU DINERO

Empecemos ahora mismo con el más fácil y más popular de todos los juegos de dinero: el juego del cambio, el juego que cambia su vida mientras usted ahorra su cambio.

La mayoría de las personas han ahorrado el dinero menudo en algún momento de su vida, tal vez encima del aparador. Y la mayoría tiene la misma cantidad de cambio ahora que el que tenía, hace años, cuando empezó a ponerlo allí.

Esta vez haremos mucho más que simplemente dejarlo de paso encima del aparador. Comience por determinar una meta específica. Piense en cosas grandes (como un sofá nuevo o un viaje a Australia) y pequeñas (como una billetera nueva o una escapada por la noche a un lugar cercano). Piense en diversiones a corto plazo *como tam-*

bién en metas lejanas. Tal vez usted desea un nuevo abrigo de invierno o la oportunidad de salir más a menudo a proporcionarse una agradable y relajante cena. O tal vez lo que viene a su mente es ese viaje que tanto ha esperado realizar. Carolyn se sintió motivada para empezar a ahorrar su cambio porque quería conseguirle a su gato un tronco para arañar (o, realmente, quería cuidar sus muebles). Tómese unos minutos para visualizar algunas de las cosas que usted quiere ver, hacer o tener.

Ahora, mientras piensa en todas las cosas que le gustan, saque de su bolsillo o de su monedero el cambio y póngalo en una superficie enfrente de usted. (Al tener efectivamente en sus manos el cambio destinado para su meta, ha iniciado el proceso. No está pensando o dudando: está haciendo.) Siga preguntándose cuál va a ser su primera meta. ¿Algo pequeño e inmediato? ¿O algo más importante y un poco más ambicioso? El tamaño y el costo de su sueño no tienen importancia. Lo que tiene importancia es que usted desea hacer que esto se realice para usted.

Éste no es el momento de ayudar a que se realicen los sueños de otra persona. Si así lo desea, puede hacerlo, pero además de fijar su propia meta, porque, para que *usted* disfrute con este juego de dinero, debe *usted* sentir el éxito. Tratar de hacer feliz a otra persona se vuelve, muy a menudo, en contra de nosotros. Es posible que ambos salgamos defraudados. La otra persona puede mirar lo que hicimos y sentirse desilusionada por el color, el tamaño o la ocasión de nuestro regalo. Puede ponerse furiosa porque quería lograr esa meta ella misma, en vez de que se la entregaran en bandeja. La única manera de garantizar el éxito es que usted lo haga para usted mismo. Por lo tanto, escoja una meta que usted realmente quiera; así tendrá garantizado que estará satisfecho al lograrla.

Puede, también, desear mantener en secreto tanto sus

ahorros como su meta. Los demás podrían criticarlo o burlarse de lo que está haciendo y tratar de quitarle su entusiasmo y su esperanza. La gente puede decir que el juego del cambio es "pueril". ¿Pueril? No. ¿De niños? Sí. La verdad es que los niños son maestros en hacer que los trabajos aburridos sean divertidos. Y ésta es precisamente la razón por la cual el juego del cambio funciona: porque es tan divertido.

El siguiente paso es tomar el dinero menudo que tiene en sus bolsillos, en el aparador o en el monedero y colocarlo en un recipiente (una taza, un vaso, un frasco, un recipiente de plástico, una lata de maní). Y ahora, el paso decisivo: en un pedazo de papel, escriba exactamente para qué está ahorrando su cambio y pégueselo al recipiente. La razón por la cual el juego del cambio funciona tan bien es porque usted *ha escrito* su meta y la ha fijado en su recipiente. El rótulo es tan importante en el juego del cambio como lo es la llave para encender el automóvil. Con su recipiente claramente rotulado HAWAI o CENA EN UN RESTAURANTE, usted ha concretado lo que realmente quiere y está dispuesto a conseguir. (Yo creé una caja de sueños para ayudar a la gente a decidirse a empezar. Es un recipiente práctico, ambientalmente amable, diseñado específicamente para jugar al juego del cambio.)

El procedimiento, inicialmente, consiste en darse a uno mismo permiso para desear lo que desea. A muchos nos sucede que, casi al instante de haber sentido la ilusión de nuestra meta, nos damos cuenta de que nuestro compañero, los amigos o los parientes criticarán nuestra elección. Los imaginamos poniendo en duda nuestra meta o burlándose de ella, y nos paralizamos. Mientras evaluamos la probabilidad de que los demás nos aprueben, hacemos una pausa, retrocedemos y, la mayoría de las veces, abandonamos la idea. No creemos que valga la pena soportar la crítica y el desestímulo que recibiremos de los demás.

Siempre alguien cuestiona nuestros actos o nos disuade de ellos, cualesquiera que sean. Por eso lo mejor es que escojamos algo que realmente queramos. Casi toda mi vida la he pasado esperando, ansiosamente, que los demás me tengan en cuenta, me aprueben y me obsequien el tiempo, la atención y las cosas que quiero; pero lo que obtuve, las más de las veces, fue el desengaño. Había perdido el control sobre mi propia vida y sus resultados. No más. Ahora *yo* decido y actúo según lo que sea mejor para mí.

Ahora, y con el permiso de darse a usted mismo algo que realmente desea, *hágalo*. Tome un recipiente, rotúlelo con su meta y empiece a poner en él todo el cambio que consiga.

En el pasado, tal vez se sentía orgulloso de buscar en sus bolsillos y pagar en la registradora la suma exacta que debía. Pues bien: ahora el orgullo proviene de guardar todo el cambio que le den y ahorrarlo para su meta. Antes de darse cuenta, estará inventando un sinnúmero de maneras para conseguir más cambio para su meta. Por ejemplo, en lugar de extender un cheque en el almacén por la suma exacta, lo redondeará de manera que el cajero le dé cambio.

Sin importar cuán escaso esté de dinero, siempre hay manera de conseguir algo de cambio. El comentario más frecuente que me hacen es: "Me encanta el juego del cambio porque no es difícil. Ni siquiera me hace falta ese dinero y, en cambio, soy feliz de lograr mis metas". Hawai, Europa, bicicleta de montaña, sofá, lecciones de baile, cena en restaurante, románticos fines de semana lejos de casa, crucero por el Caribe... son algunos de los sueños que con el juego del cambio se han vuelto realidad para la gente.

Ana me contó un día, por teléfono, lo que había hecho con su cambio. "Yo solía comprar una cantidad de cosas que luego me aburrían o que nunca usaba, porque me animaba el impulso momentáneo: 'Esto tiene que ser mío'. Pues bien, ahora aprendí a ahorrar dinero. Tengo un frasco, estoy viéndolo en este momento, un frasco verdaderamente grande, y cuando llego a casa, pongo el cambio de sobra y dinero extra. De cuando en cuando, me da un ataque y, simplemente, salgo y lo gasto todo. Pero he aprendido a ahorrar para el largo y el corto plazo, al igual que para lo meramente frívolo".

Cómo tener éxito en el juego del cambio:

1. Escoja una meta específica que realmente lo motive.
2. Rotule con su meta su caja de sueños.
3. Ahorre todo su cambio hasta lograr su meta.
4. Disfrute al ver realizarse su sueño, ¡sin sentimientos de culpa!

Le aconsejo que se proporcione *ahora mismo* esta emoción y satisfacción, sin esperar a terminar este libro. Empiece hoy a hacer que el dinero trabaje para usted. Usted sabe lo que quiere. No se desilusionará, porque usted se encargará de asegurar su éxito.

Por lo tanto, tome cualquier recipiente que encuentre, rotúlelo con su meta y deposite todo el cambio que tenga. Si no rotula su recipiente, le garantizo que sucederán dos cosas: 1) el dinero desaparecerá en cualquier gasto, y 2) si no hay unas vacaciones o algún objeto que usted desee ansiosamente, no hay razón para ahorrar su cambio. Rotular su caja de sueños es el paso decisivo.

En este momento, puede estar sintiéndose estimulado y pensando: "Caramba, ésta es una buena idea. Voy a ahorrar mi cambio para comprar entradas al teatro". Pero todavía no ha pasado nada. Lo importante es pasar del pensamiento y la toma de conciencia a la acción: rotular el recipiente con una meta que verdaderamente lo motive y depositar, todos los días, todo el cambio que pueda reunir.

Si usted no puede decidirse entre un viaje a Hawai y un computador nuevo, lance una moneda al aire y escójalo a la suerte. Empiece ya. Demasiado a menudo perdemos el impulso antes de empezar porque no nos decidimos sobre la meta. Recuerde: usted siempre puede cambiar de idea. Si decide que prefiere relajarse en las tibias y soleadas playas de Hawai, en vez de reemplazar su computador, simplemente cambie el rótulo en su recipiente. Lo importante es que ya habrá ahorrado dinero. Una meta escrita nos da una *razón* para ahorrar nuestro dinero y genera el entusiasmo y la motivación para llevarla a cabo.

Con su recipiente rotulado, está listo para jugar al juego del cambio. Durante los próximos siete días, ahorre *todo* su cambio. Si está en una tienda, y un artículo cuesta $4.69, pague con un billete de $5.00 (o gire un cheque por $5.00). El cajero le devolverá 31 centavos. Cuando llegue a casa, reúna todo el cambio del día y deposítelo triunfalmente en su recipiente rotulado. Usted ha decidido hacer realidad su sueño. Y está viendo que lo está logrando.

Usted puede estar pensando: "¡Qué ridiculez! Necesito $1 200 para las vacaciones que sueño, y me pide que deposite unos centavos en un frasco. ¡No me tome el pelo!" Pero, ¿sabe usted?, realmente funciona. Supongo que es como pararse al pie de una montaña y escuchar que alguien nos dice que la manera para llegar a la cima es poner un pie adelante del otro. Funciona.

Es tanta la gente que me ha llamado a hablarme de sus vacaciones en Hawai, México, el Caribe... todo con el cambio que ahorró. Sandy me llamó e hizo una lista de los artículos que ella y su marido habían comprado en sólo el primer año de estar jugando al juego del cambio: equipo para motocicleta, lente para el teleobjetivo de su cámara de 35 mm, vajilla y muebles para la sala. Un caballero felicitó a su hijo y a su nuera, y les entregó, como regalo de boda, un cheque de $1 500. Había ahorrado su cambio desde el día en que se comprometieron hasta el día en que se casaron, catorce meses más tarde.

Una y otra vez, la gente dice que una de las mejores cosas que tiene ahorrar el cambio es que no se siente culpable al gastarlo en su meta. Es para eso para lo que se está ahorrando.

Cada vez que se halle con una moneda o que un cajero le dé cambio, se sentirá excitado. Estará recibiendo diariamente saludables inyecciones de adrenalina. Cada moneda significa que usted está cada vez más cerca de la meta señalada. No hay misterio, ni asesores de inversión y tampoco gráficos complejos. Todo lo que tiene que hacer es tomar su cambio diariamente y depositarlo cada noche en el recipiente rotulado. Pronto obtendrá el resultado final. Es sencillo. Es fácil. Funciona.

Tenga cuidado, sin embargo. Ocurre demasiado a menudo que, tan pronto estamos ansiosos de empezar una actividad nueva, nuestra mente empieza a ponerla en duda y a encontrarle defectos. Cuando menos pensamos, nuestra mente ha producido una interminable lista de razones para demostrar que la idea no sirve. Nuestra emoción se desvanece, y perdemos nuevamente. Que esta vez no sea así. Empiece *hoy* antes de que la idea pueda ser destruida por su razonamiento lógico. Esto no es una cuestión para el lado izquierdo del cerebro; no es una cuestión de lógica; es una cuestión divertida. Ensáyela. Su impulso lo conducirá por todo el camino hasta su meta. ¿Se dará usted permiso de lograr sus metas?

Una sugerencia práctica: periódicamente, cada tantas

semanas, ponga todo el cambio sobre la mesa de la cocina y consiga papel para enrollar monedas. (Simplemente pida el papel en su banco o en la corporación de ahorro, la próxima vez que vaya allí. Es gratis.) Antes de darse cuenta (usted o su familia), estará sentado a la mesa enrollando el dinero, contándolo y sintiéndose lleno de energía.

Mucha gente se siente más motivada si coloca una ilustración de su meta en su recipiente del juego del cambio. Eva decoró su caja pegándole fotografías de anillos sacadas de un anuncio de joyas. Ella comentó: "Ver los anillos y tener mi caja de sueños como recordatorio, me ayudó a comprender cuánto tiempo hacía que soñaba con un anillo y a conseguirlo más rápido". (Hasta entonces, Eva había estado esperando que su marido le regalara el anillo.) Lucía recortó una pequeña fotografía de sí misma, la adhirió a una postal de la torre Eiffel y luego la pegó en la pasta de su agenda. Cada vez que veía la fotografía, se acordaba de lo que realmente quería. Se mantuvo concentrada y motivada todo el tiempo hasta que viajó a Francia.

No espere hasta encontrar el recipiente perfecto. No espere hasta encontrar la meta perfecta. Empiece ya.

¿Qué día es hoy? Si dentro de tres días no ha rotulado su recipiente y empezado a ahorrar en él, probablemente nunca lo hará. Hágase a usted mismo, y a todos los que conoce, un favor: actúe ahora para lograr sus sueños. No hay duda sobre esto: cuando estamos contentos y satisfechos, somos mejor compañía. Todo el mundo gana. Sobre todo *usted.*

Puede estarse sintiendo un poco escéptico y renuente. Tal vez se está diciendo: "Compré este libro porque me imaginé que expondría un método radicalmente distinto para el manejo del dinero. Me habían dicho que mi relación con el dinero se transformaría, y, hasta ahora, me han dicho que sueñe con las cosas que quiero en la vida y deposite el cambio en un frasco".

Empezar de esta manera probablemente parezca ingenuo. Una razón por la cual tenemos dificultades con este método es que la mayoría de nosotros aprendimos, a edad temprana, a no pedir lo que queremos. Cuando éramos niños, *nos decían* lo que debíamos hacer y lo que era bueno para nosotros: "¡Sal inmediatamente!", "Tiende la cama", "Ordena tu cuarto", "Cómete esto, es bueno para ti", "Siéntate derecho", "Claro que te encantará". A muchos no nos animaron a tener una mente propia. Como adultos, hasta cierto punto, continuamos haciendo lo que nos dicen. Compramos las marcas, conducimos los automóviles y trabajamos en los empleos que nuestros padres, nuestros profesores y los medios de comunicación nos sugieren.

Con el método que le proponemos para manejar el dinero, *usted* es quien manda. El verdadero meollo de este método no está en este libro. Está en usted. En estas páginas hay sólo ideas, instrumentos e historias. Es usted quien cambiará su vida al abrazar sus esperanzas y sus sueños. Es saber lo que realmente quiere en la vida, y escogerlo usted mismo, lo que lo llenará de pasión y entusiasmo, y, por lo tanto, transformará su vida.

¿Cuáles son sus sueños? ¿Qué ama de la vida? Siga buscando. Descubra qué lo motiva.

María escribió: "Soy una mujer sola, de cuarenta y tres años, y tengo a mi cargo dos hijos adolescentes. Tomé el curso sobre el dinero porque me sentía perdida y frustrada, sin metas ni planes futuros, y me estaba endeudando cada vez más. El dinero extra siempre era para pagar cuentas y comprar ropa y comida para los chicos. Ahora tengo metas agradables, tales como un aparato estereofónico nuevo, un viaje a las Bahamas y un condominio con buena vista, al igual que un fondo de retiro y un fondo para emergencias. Mis hijos también están ahorrando: para un estéreo y un televisor".

Una mujer me dijo que me había escuchado, un día, por la radio. "Todo el tiempo pensé en cómo sonaban de ridículos sus comentarios. Después, a medida que transcurría la semana, ¡comprendí cuánto sentido tenía todo lo que usted decía!"

Observo cómo ocurre esto en mis seminarios. A medida que voy presentando las primeras ideas, los asistentes escuchan cortésmente, escépticamente, incluso esperanzadamente, pero sin creer realmente que este seminario sobre el dinero sea diferente de los demás. Al pasar a la tercera hora de clase, sus ojos se animan. Su nivel de energía crece. Las sonrisas en sus labios revelan esperanza y alivio. Empiezan a ver que su situación económica es manejable y superable. Se entusiasman al saber que hay un camino hacia sus esperanzas y sueños y, lo mejor de todo, que el camino es divertido y fácil.

Cuando les pregunto a las personas que han asistido a mis seminarios: "¿Cuál fue el elemento clave para usted al adquirir control sobre su dinero?", una y otra vez me responden: "Antes de tomar su curso, nunca había pensado realmente en lo que yo quería".

La razón por la cual la mayoría de las cosas no suceden se debe a que nuestra actitud mental ni siquiera permite dicha posibilidad. "Es imposible en mi situación", o: "No podemos ni siquiera considerarlo, hasta que no hayamos controlado las cuentas", o: "No podemos permitírnoslo". Descartamos las ideas antes de que hayan tenido siquiera una oportunidad de realizarse.

Lo insto a que se haga la pregunta esencial: "¿Qué tan importante es esto para mí? ¿Es esto lo que realmente quiero?" Considere todas las ideas y déjelas madurar en su interior. El test de maduración siempre funciona. Si la idea viene de su corazón y encaja en el esquema más amplio de lo que tiene sentido para usted, entonces la idea crecerá y florecerá y continuará pulsando las cuerdas de su corazón. A medida que la idea madura en su interior, usted lo sentirá, pues, si es lo que realmente quiere, surgirá una sonrisa en sus labios y su andar se hará más ligero.

¿TENGO OPCIONES?

La mayoría de las personas no tenemos opciones. ¿Por qué? Porque no sabemos que las tenemos. Hemos estado funcionando de afuera hacia adentro: guiándonos por los "debiera" y los "tengo que" en vez de buscar dentro de nosotros mismos la dirección. Sentimos que tenemos que ir a trabajar o ir a la escuela, que es mejor decir que sí y que debemos hacer las cosas de cierta manera. A menudo, lo que creíamos que era una elección o una decisión nuestra, no era cosa distinta que aceptar la regla o el orden del día que habían impuesto otros. Muy frecuentemente, olvidamos buscar dentro de nosotros mismos para descubrir lo que realmente queremos. Se nos olvida preguntarnos seriamente: "¿Cuál es la mejor y la más sabia elección que puedo hacer, basándome en mis valores y en lo que yo quiero, para obtener el resultado final?"

¿Cuál sería su primera respuesta si le preguntaran: "¿Cuántas opciones tiene usted cuando suena el despertador?"? En una ocasión, en mi seminario, alguien respondió al instante: "¡Dos!" Para esa persona existían solamente dos opciones. En realidad, en cada instante del día, tenemos incontables opciones. Cuando suena el despertador, podemos estirar la mano y silenciarlo y volver a dormirnos o podemos echar una cabezada una, dos... una docena de veces. Cuando suena el despertador, podemos ponernos furiosos o podemos celebrar y acoger la belleza de la vida y todas las oportunidades que nos ofrece el nuevo día. Cuando el sonido nos despierta, podemos arrastrarnos lentamente fuera de la cama o podemos dar un salto y bailar ante el nuevo día. ¿Cuántas opciones existen, para cada uno de nosotros, en cada instante? ¿Una? ¿Ninguna? ¿O son incontables? La respuesta es: sólo tenemos el número de opciones que podamos reconocer. Mientras no comprendamos que tenemos incontables opciones cada minuto del día, nuestra vida no puede transformarse.

Es fundamental entender que, incluso dentro de los límites de nuestra situación particular, todavía tenemos innumerables opciones. Para saber cuántas, tenemos que dejar de vivir de afuera hacia adentro (vivir según las reglas, los "debiera" y la agenda que otros establecen para nosotros) y vivir de adentro hacia afuera (escuchando lo que tiene significado e importancia para nosotros mismos).

Esto puede tomar su tiempo. Durante la mayor parte de mi vida, no tenía la menor idea de cómo escucharme a mí misma y descubrir lo que valoraba. Las responsabilidades laborales y familiares dominaban mi vida. Mi voz interior estaba ahogada. Ocasionalmente, una buena película o una fotografía en una revista agitaban mis sueños escondidos, pero las exigencias de la vida pronto borraban esos pensamientos. La idea de escucharse a uno mismo puede ser nueva, incómoda e incluso atemorizante. Eso no importa. Acepte esos sentimientos y no se exija mucho. Por ahora, solamente abra la puerta y eche un vistazo para visualizar cuáles son sus pensamientos y sentimientos más íntimos. No hay prisa. Cada vistazo es un paso más, y cada paso nos acerca más a escoger la plenitud y la felicidad en la vida que todos merecemos.

Al finalizar un seminario sobre el dinero, Amy escribió:

"Me gusta y soy consciente de la palabra *opciones;* ¡qué palabra tan agradable! Me siento estimulada para ahorrar y lograr mis metas. Ya no soy una prisionera. Ya no desconozco los temas financieros. Si alguien va a resolver mis problemas de dinero, seré yo".

Un consejo: la próxima vez que se halle ante la necesidad de tomar una decisión, fíjese en cuántas opciones se le ocurren. Por ejemplo, su automóvil está en el taller para reparación y necesita encontrar un medio para ir a trabajar, durante los próximos dos días. Inmediatamente, se le ocurren dos opciones: puede pedirle a un compañero de trabajo que lo lleve o puede utilizar el transporte público. Está empezando a decidir qué hacer.

Cuando se encuentre en un punto en el cual está empezando, efectivamente, a tomar su próxima decisión, deténgase. Tómese un tiempo para retarse y realmente e-s-f-o-r-z-a-r-s-e. Encuentre, por lo menos, otras dos opciones viables.

Por ejemplo, ¿qué tal alquilar un automóvil o, más económico aún, pedir un taxi? Tal vez sea ésta la ocasión para tomar el transporte colectivo que ha visto en la autopista o una oportunidad de conocer a otras personas de su vecindario.

Al mirar más allá de las primeras y más obvias opciones, en busca de otras posibilidades de elección, está usted tocando a la puerta de la creatividad de su mente. Al salirse de lo familiar y vagar en lo desconocido, las ideas se tornan menos convencionales y, a menudo, mucho más llamativas y divertidas. Puede decidir que, puesto que el automóvil está en el taller, es una oportunidad para tomarse un día libre y, simplemente, quedarse en casa, descansando (seguramente, no se sentirá tentado a salir a hacer diligencias). De acuerdo: tal vez no opte por darse un día libre o por recurrir al transporte colectivo. Sin embargo, al permitirse contemplar tantas posibilidades como se le ocurran, tiene mayor libertad y es más dueño de su vida.

¿Qué ocurre en su mente? Pregúntese a lo largo de cada día: "¿Qué *otras* opciones tengo en este preciso momento? ¿Estoy haciendo esto porque quiero o porque pienso que debo hacerlo? Si siento que debo hacer lo que estoy haciendo, ¿existe alguna manera más agradable o más satisfactoria de hacerlo?

Con la posibilidad de elegir se adquiere poder. Pero primero debemos saber que tenemos esta posibilidad. Escriba la palabra ELECCIÓN con grandes letras en varios pedazos de papel y fíjelos en su espejo, en su espacio de trabajo, en el refrigerador y en el tablero del automóvil. Viendo la palabra ELECCIÓN a lo largo del día, se acordará de seguir a-u-m-e-n-t-a-n-d-o las opciones que tiene. Escuche con atención la sabia voz interior que sabe lo que usted más valora: esa parte de usted que sabe qué es lo que le proporciona la mayor satisfacción a largo plazo.

He aquí la simple pero profunda progresión en tres pasos que lo llevará de donde está actualmente a donde quiere estar.

Valores	(Paso 1)	DESCUBRIR lo que *realmente* le importa a usted
Elección	(Paso 2)	ESCOGER basándose en lo que usted *valora*
ACCIÓN	(Paso 3)	ACTUAR de acuerdo con su *elección*

Tres pasos fáciles pero difíciles de dar. Muy a menudo, ni siquiera logramos dar el paso 3.

El paso 1, valores, es descubrir lo que a usted más le importa en la vida, tomando conciencia exactamente de cuáles son las actividades, la gente y los lugares que le producen felicidad y lo hacen sentir contento de estar vivo.

El paso 2, elección, es aprender a tomar las pequeñas y grandes decisiones de la vida *basándose* en lo que usted valora. Frecuentemente, este paso es difícil. Por una parte, puede sentirse culpable u obligado a satisfacer las necesidades de la familia o a agradar, más bien, a los demás. Es posible que deba empezar lentamente y permitirse, tan sólo, "pensar" en escoger lo que es importante para usted.

He aquí la progresión hasta el momento:

VALORES ➤ ELECCIÓN

Hasta aquí, todo va bien. Estamos eligiendo basados en lo que valoramos. ¿El problema? La mayoría de las personas nunca avanzan más allá del paso 2. Recuerdo una de mis primeras experiencias al tratar de cambiar mi comportamiento de "adicción" al trabajo. Lo que en realidad ocurrió fue que pensé cuán agradable sería darme un largo baño en la tina en vez de una ducha rápida. Tenía sentido pensar que si yo me tomaba aunque fuera quince minutos para alejarme de todas las exigencias y, simplemente, aliviar y relajar mi cuerpo, cuando saliera del baño estaría renovada y sería mucho más paciente como madre y como persona. Yo sabía lo que valoraba (sentirme relajada y refrescada), y conscientemente elegí: "Me daré el gusto de darme un baño relajante".

¿El problema? Nada sucedió. Pasaron dos años y todavía no me había dado un baño relajante. Los pasos 1 y 2 fueron importantes porque me hice más consciente. Establecer contacto con lo que yo quería, y elegir lo que valoraba, me ayudaría a ser una mejor persona. ¡Pero el hecho es que no me había dado el baño! Los pasos 1 y 2 fueron críticos pero, sin el paso 3, nada había cambiado realmente.

VALORES ➤ ELECCIÓN | *¡PUNTO MUERTO!*

Nada sucede mientras no ACTUEMOS. Hasta el momento en que, efectivamente, llené la tina, me escapé de mi atareada vida y me deslicé en el agua, nada había cambiado.

VALORES ➤ ELECCIÓN ➤ *¡ACCIÓN!*

Puede que sea una novedad que usted se concentre en usted mismo y en lo que le gusta hacer. Puede, incluso, que se sienta culpable inicialmente, temeroso de todos los sentimientos que se agitan en su interior a medida que empieza a pensar en lo que le traería satisfacción. Puede sentir miedo de que su nueva elección moleste a los demás. Mucha gente querrá que usted no cambie; especialmente, si ha estado dejando de lado sus sueños para tratar de darles felicidad a otros. (Yo dejé mi vida a un lado durante dieciocho años para tratar de hacer feliz a otra persona.) La única persona que estará siempre con uno, es uno mismo. Nuestro compromiso esencial en la vida debe ser con nosotros mismos; porque solamente cuando hayamos dedicado el máximo cuidado y atención a nuestra persona, estaremos en nuestra mejor forma. ¿Y por qué querríamos estar en nuestra mejor forma? Para poder darles a los demás lo mejor de nosotros: a nuestra pareja, a nuestros hijos, amigos, clientes, pacientes y compañeros de trabajo. Tan sólo imagínese qué ocurriría si cada cual decidiera cuidarse a sí mismo en primer lugar; imagínese la calidez, la presencia, la paciencia y la energía positiva que le aportaríamos a los demás y a la vida misma.

¿Por qué admiramos a Abraham Lincoln? Porque era él mismo: auténtico, honrado y con los pies en la tierra. ¿Por qué ha producido Walt Disney un efecto tan profundo?

Porque se concentró, creyó y actuó conforme a sus sueños. ¿Y la madre Teresa? Ella ha obtenido una honda felicidad interior al querer ayudar a los pobres y decidirse a hacerlo. Todas estas personas tomaron consciencia de lo que más valoraban en la vida y actuaron en consecuencia.

El hecho es que las cuentas y los apuros forman parte de la vida. Están garantizados. Pero ¿la felicidad? No está dada. Es una elección. Es hora de dejar de esperar la felicidad y de empezar a elegirla, ya mismo. Cuando nos detenemos a pensar sobre esto, nos damos cuenta de que, usualmente, los días más felices son aquéllos en que estamos esperando con ilusión algún suceso: el día en que iremos a esquiar por la mañana o en que nos reuniremos con alguien especial, a la hora de la cena, después del trabajo. Cuando estamos planeando y haciendo algo que *amamos,* nos sentimos revitalizados, productivos y motivados.

¿La meta? Lanzarse a la acción y elegir que su vida sea plena y completa ahora, con el dinero que ya tiene. ¿Su tarea? Abrir la puerta a sus sueños y mantenerla abierta. La vida siempre pondrá obstáculos en su camino. El recurso para vencerlos es mantenerse concentrado en lo que usted ama: ¡la gente estupenda, las actividades y los lugares que hacen palpitar su corazón!

DOS

Páguese a usted mismo en primer lugar

*El futuro les pertenece a quienes creen
en la belleza de sus sueños.*

— Eleanor Roosevelt

Querida Carol:

Cuando tomé su curso sobre manejo del dinero, tenía cero en ahorros e inversiones y en mis tarjetas de crédito los saldos en mi contra eran bastante elevados. En tres años, he realizado un verdadero cambio en la forma de manejar mi dinero. ¡Sí, me pago a mí misma en primer lugar! ¡Hoy tengo más de $8 000 en inversiones y $6 000 en ahorros, que espero diversificar! También, como usted me recomendó, cambié de banco y abrí una cuenta VISA con 12% de interés y sin comisiones anuales de manejo.

Dije que siempre había deseado viajar... Pues bien: pasé más de tres semanas viajando por Europa con parte del dinero que había ahorrado.

Debo aclarar que no tengo un ingreso alto (menos de $25 000 al año) ni comparto con nadie mis gastos de manutención. Parecería que los últimos tres años han sido color de rosa. No lo han sido. He tenido que cambiar de alojamiento cuatro veces y he atravesado por difíciles situaciones emocionales en mi vida privada. En ocasiones, sentía que mi mundo se estaba desmoronando, pero pienso que el saber que por lo menos esta parte de mi vida (las finanzas) era estable, me producía confianza. También me hacía sentirme bien por lo que había logrado y por los cambios positivos que había realizado.

En todo caso, sólo quería hacerle saber que su curso y toda la energía, información y entusiasmo obtenidos me ayudaron a encauzarme en la dirección apropiada. Usted, ciertamente, ayudó a cambiar mi vida.

Espero que todo esté bien para usted. ¡Gracias y continúe con su excelente trabajo!

Atentamente,
Vicki

"¡Caramba! — dirá usted —. ¿Cómo lo hizo?" La respuesta está en las propias palabras de Vicki: "¡Sí, me pago a mí misma en primer lugar!"

"Pero... espere un momento — objetará usted —. Si me pago a mí mismo en primer lugar, no habrá suficiente dinero para pagar las cuentas". O tal vez se diga a usted mismo: "Puesto que, de hecho, no hay suficiente dinero para pagar las cuentas, ¿cómo puedo yo pagarme algo a mí mismo, y menos aún en primer lugar?"

La mayoría de las personas sabemos que "debiéramos" estar guardando algún dinero, que "debiéramos" estar ahorrando para vacaciones, en vez de viajar con tarjetas de crédito o con préstamos (¡o peor aún: quedarnos en casa!). Comprendemos que "debiéramos" estar apartando algún dinero para épocas difíciles, para la jubilación o para la universidad de los chicos. Por lo tanto, admitimos que "debiéramos" y la mayoría de la gente incluso dice que se "pagará" a sí misma tan pronto como... estén pagadas las cuentas, tan pronto como... obtenga un aumento, tan pronto como... cambie de empleo, tan pronto como... Entre tanto, la vida pasa mientras esperamos. Siempre estamos aplazando nuestros sueños y metas, únicas cosas que le dan a cada día un significado y un propósito.

Cuando en un seminario digo: "Páguese a usted mismo en primer lugar", los asistentes no parecen reaccionar. Bien podría haber dicho: "Haga ejercicio regularmente", o: "Use hilo dental diariamente". Es algo que han oído tantas veces antes, que inmediatamente desvían su atención. Permanecen sentados impasibles, esperando el momento en que les hable de algo nuevo. Pues bien: no les doy gusto. Insisto en el tema de tomar algún dinero para sí mismos. A los pocos minutos, empiezan a irritarse de verdad. Si suprimiera el tono cortés con que exponen sus razones y agregara la inflexión de sus sentimientos, quedaría algo de este estilo: "Mire, tenemos deudas por más de $10 000 y dos hijos que pronto irán a la universidad. No podemos, de ninguna manera, pagarnos a nosotros mismos en primer lugar. Necesitamos algo que nos ayude a salir de la trampa en que estamos atrapados, no castillos en el aire. ¿Cómo podríamos pagarnos primero a nosotros mismos y ahorrar dinero para nuestros sueños, cuando debemos tanto y ganamos tan poco?"

Diana no se paga primero a sí misma. Ella escribe: "Mi mayor preocupación es el futuro. Soy muy obsesiva en cuanto a pagar mis cuentas y tiendo a pagar más de la suma requerida, lo cual me deja corta de fondos para cuando llega el fin de mes. Trabajo en dos empleos (ambos con buenos salarios) y no logro ahorrar ningún dinero". Luz escribe: "Estaba muy esperanzada de que mis finanzas me permitirían asistir a su próximo seminario. Pero debo destinar el dinero a atender primero mis prioridades: las cuentas".

¿Y qué pasa con *sus* cuentas? ¿Qué tan importantes han sido en su vida? Tómese un momento para explorar los sentimientos que experimenta cuando piensa acerca de las cuentas. ¿Qué palabras describen cómo se ha sentido respecto a sus cuentas a lo largo de los años? En un seminario, la gente expresa de buena gana sus sentimientos, y rápidamente llegamos a una lista como la siguiente:

SENTIMIENTOS HACIA LAS CUENTAS

FRUSTRACIÓN	DESESPERACIÓN
RABIA	DEPRESIÓN
RESENTIMIENTO	OPRESIÓN
ALIVIO (*MUY* TEMPORAL)	ANSIEDAD
ESTRÉS	INFINITOS

En este momento, al terminar la columna de sentimientos respecto a las cuentas, le pido a la gente que entre en contacto con la energía que le ha puesto al logro de sus metas. Nuevamente, le pido que exprese en palabras estos sentimientos.

Reina el silencio.

Después de un momento, Shirley, sentada junto a su marido (ambos están jubilados), dice: "¡Caray, mi meta siempre ha sido pagar las cuentas!" Shirley expresa, en realidad, lo que la mayoría de las personas hemos vivido.

Nótese el contraste entre la gente saltando en sus asientos y gritando lo que siente al tratar de pagar las cuentas, frente a las bocas abiertas y los cuerpos cayendo pesadamente en los asientos, en silencio, cuando se le pregunta cuánta energía ha gastado en conseguir sus metas. En efecto, toda la energía se ha destinado a las cuentas, ninguna a la realización de las metas y los sueños. (Incluso si algunos hemos gastado energía tratando de lograr nuestras metas, en general no es más que un simple disparo en la oscuridad si se compara con la increíble cantidad de lucha, esfuerzo y energía que hemos dedicado a las cuentas.)

Si detuviéramos a cien personas en la calle y les preguntáramos a cada una de ellas: "¿Cuál es su meta en la vida? ¿Cuáles son sus sueños más preciados y sus más profundas aspiraciones?", las respuestas serían de este estilo: "Ser actor de cine. Tener una granja. Ver a mis hijos crecer felices y saludables. Vivir hasta llegar a disfrutar con mis nietos". Con seguridad, nadie contestaría: "¡Mi primera y única meta es pagar mis cuentas!"

He aquí cómo se presenta el panorama para la mayoría de las personas:

ENERGÍA DEDICADA A LAS CUENTAS	ENERGÍA DEDICADA A LAS METAS

FRUSTRACIÓN

RABIA

RESENTIMIENTO

ALIVIO (*MUY* TEMPORAL)

ESTRÉS

DESESPERACIÓN

DEPRESIÓN

OPRESIÓN

ANSIEDAD

INFINITAS

Deténgase un momento y *sienta* la diferencia mientras observa la columna llena de la izquierda y la columna vacía de la derecha. Sienta cómo las emociones negativas respecto a las cuentas han agotado su energía vital. La tensión, el estrés y la ansiedad por las cuentas han producido tanto alboroto en nuestra vida, que han ahogado nuestros sueños. Nuestras metas reposan en silencio, inadvertidas.

Es tiempo de que nuestra mira no se dirija más hacia las cuentas. Es tiempo de reconocer que nuestro dinero devengado con esfuerzo es *nuestro* y que son nuestras metas y nuestros sueños los que le dan significado a la vida. Lynn dijo: "Antes, no quería gastar mi tiempo en el trabajo. Ahora soy feliz trabajando. Cuanto más trabaje, mejor será, porque mayor será el número de metas que pueda lograr. Ahora trabajaría horas extras si pudiera, porque esto se traduciría en más dinero para mis metas". Es tiempo de reconocer que el dinero que devengamos es *nuestro,* y de empezar a destinar una parte a nuestros sueños, al igual que a nuestras cuentas.

Al llegarse a este punto en un seminario, Jeanette habló así: "¿Pero qué sucede con las cuentas que debo? *Yo* tomé la decisión de comprar esas cosas o de pagar con tarjeta de crédito mis comidas. De manera que, realmente, el cheque es *de ellos*".

Jeanette expresó lo que la mayoría del grupo estaba sintiendo: "¿Es *mío* el cheque de mi sueldo? No lo creo".

Jeanette dijo lo que muchos sentimos: "Sí, por supuesto, estas cuentas son mías". Pero cuando nos dicen que reclamemos el cheque de nuestro sueldo — el dinero que nos hemos ganado levantándonos cada mañana y dedicando horas y horas al trabajo —, nos resistimos. "¿El cheque de mi sueldo? No puede ser. Éste pertenece a las cuentas".

La resistencia de Jeanette me ayudó a ver, más claramente que nunca, el dominio que las cuentas ejercen sobre nosotros. Mi mente estaba luchando por encontrar alguna manera de lograr que el punto se entendiera, de ayudar a los participantes en el seminario a captar este nuevo concepto. Me daban ganas de gritar: "Éste es el dinero por el cual *usted* trabajó, el cheque está girado a *su* nombre. ¡Es *su* dinero!"

Les pedí a los participantes que abrieran ambas manos. "Imagínense que en una mano tienen sus cuentas, y en la otra su cheque. Ambos llevan su nombre. ¿Cuál reclaman como suyo?" Mientras mantenía mis manos extendidas, con las cuentas en una y el cheque del sueldo en la otra, observé las caras de la gente. Me daba cuenta de que querían creer que el sueldo era de ellos, pero no podían. Sólo una mano se extendió: la de las cuentas.

He aquí un patrón humano fascinante. Aunque concentrar toda nuestra atención en deshacernos de las cuentas es opresivo y deprimente, también es familiar. Y el hecho es que lo ˙familiar nos reconforta. Alejarnos de lo que conocemos es incómodo, incluso temible. Por lo tanto, a menos que estemos profundamente motivados o que nos lancen contra nuestra voluntad hacia algo nuevo, normalmente nos quedamos con lo que conocemos. Podemos asomarnos y soñar con lo que queremos, con lo que podría ser, pero no nos aventuramos en lo desconocido.

Al dar vuelta a la llave de la puerta principal, se abre el camino hacia las comodidades de su hogar. Al pagarse a usted mismo (aun cuando no sea más que un *uno por ciento* de su sueldo), se abre la puerta de una nueva vida para usted.

Al tomar este porcentaje de su sueldo y dárselo a usted mismo, usted está diciendo: "Soy importante. He trabajado duro por este dinero y me recompensaré a mí mismo (y a los que amo) reservando una parte para mí (nosotros)".

¿Por qué no nos pagamos a nosotros mismos en primer lugar? Porque, antes que llegue el cheque, sabemos que el dinero ya se ha ido hacia las cuentas. Cuando ya hemos pagado el alquiler /o la hipoteca, la electricidad, las tarjetas de crédito..., no queda nada. "El cheque del sueldo no es nuestro — nos decimos —. Realmente pertenece a las cuentas".

Pero miremos esto más de cerca. Sí. El cheque está a su nombre. Por lo tanto, antes de empezar a girar cheques para los demás, deténgase y recuerde quién se ganó el dinero. *Fue usted.* "Antes, cuando hacía la lista de mis gastos, nunca incluía ahorros — anota Mary Ann —. O, si los incluía, era sólo al final, y eran lo que tachaba cuando se me había agotado el dinero. Ahora, encabezan la lista, porque si no me pago a mí misma, nadie más lo hará. De eso estoy segura". Ella tiene razón. *Usted* lo devengó. Usted merece asignarse a usted mismo una parte del dinero, antes de empezar a girarlo a las tarjetas de crédito, a la empresa de teléfonos, a la compañía de electricidad, a los grandes almacenes. Piénselo. Usted se ganó el dinero. No sólo merece una parte del dinero que devengó, también necesita una parte para cubrir los gastos de la vida diaria.

Elegir pagarnos a nosotros mismos en primer lugar

resulta difícil para la mayoría, y algunas veces parece casi imposible. Carol, una madre de treinta y tres años de edad y auxiliar en una compañía de abogados, escribió: "Me siento culpable al pagarme a mí misma. Sé lo que usted dijo y entiendo la teoría. Y estoy de acuerdo. Sin embargo, me sigo sintiendo culpable al ahorrar dinero para mí cuando le debo a algún almacén o al odontólogo, etc. Voy a ensayar su método... pero me sigo sintiendo culpable. Oigo siempre la voz de mi madre".

La mención de "la voz de mi madre" es significativa. Nuestro condicionamiento temprano en la vida continúa afectándonos actualmente. He aquí lo que me ocurre cuando rememoro aquella época. Cerrando los ojos, puedo empezar a acordarme de mí misma cuando era muy joven. Las visiones y los sonidos se hacen patentes. Veo a mis hermanas, mi casa y me veo a mí misma. Entonces, de pronto oigo: "¡CAROL! ¡Espera tu turno! ¡Haz lo que se te pide! ¡No molestes! Piensa primero en los demás. Trabaja primero y juega después. Estabilízate. ¡Ten cuidado!"

¿Cómo me afectaron estos mensajes? Temprano en la vida aprendí que lo "correcto" era poner a los demás en primer lugar, no pensar en mí misma y no sentir lo que estaba sintiendo. "Carol, tú no haces otra cosa que pensar en ti misma". Me rebelo cuando recuerdo esas palabras. ¿Era esto lo único que hacía la pequeña Carol? ¿Pensar en sí misma?

Cuando era niña, esas palabras me hacían mucho daño. El mensaje que recibía era: "La demás gente y las cosas de la demás gente son más importantes que yo". Me volví muy consciente de los sentimientos de los demás. Debo cuidar a los demás y sus pertenencias por encima de todo. Aprendí a mantener mi punto de interés fuera de mí misma, en los demás. Al acusarme de egoísta, me movieron más aún a demostrar que no lo era, que era generosa y me entregaba.

Cuando llegué a ser adulta e independiente, casi todo mi interés se dirigía a los demás. Permanentemente me estaba probando a mí misma.

No es de extrañar que cuando niña estuviera tan confundida. Trataba de encontrarle sentido a una afirmación que era falsa ("Lo único que haces es pensar en ti misma"). Ahora, con otra perspectiva, puedo ver que los adultos estaban exagerando para poner énfasis en un punto. No se daban cuenta del daño que hacían. Aunque mis recuerdos no tienen que ver con el dinero, sí reflejan una actitud básica. Entré en la edad adulta guiada por dos conceptos erróneos: 1) debía escuchar a los demás porque ellos sabían, mejor que yo, qué era lo más conveniente para mí, y 2) debía ocuparme de los demás en primer lugar.

Al recordar cómo interpretaba yo la vida cuando niña, entiendo mejor mi comportamiento como adulta. Sin tener nueva información que pudiera alterar esos mensajes, entré en el mundo de los adultos sintiéndome menos valiosa que los demás. Hacía lo imposible por tratar de demostrar que yo era importante y útil. Tomaba el cheque de mi sueldo y pagaba fielmente a los demás primero, tratando de demostrar que no era egoísta, que realmente ante todo me preocupaban los demás. Siempre estaba tratando de probar que esos mensajes de mi infancia estaban equivocados. Pagaba con mi sueldo el mayor número de cuentas que podía y luego, con lo que quedaba, mi familia pasaba el mes luchando y acudiendo a las tarjetas de crédito cuando el dinero escaseaba.

Una tarde, en el seminario sobre el manejo del dinero, Lisa nos explicó que su problema era exactamente opuesto al mío. Dijo que ella era la menor de seis hermanos y que se la malcrió desde un principio. Sus hermanos mayores le daban gusto en todo y le compraban todo lo que pudiera desear. "Heme aquí, adulta — dijo ella —, esperando conseguir todo lo que quiero. Entonces, ¿qué hago? Compro todo con tarjetas de crédito".

En mi caso, continué con mi comportamiento de niña, incrementando mis deudas para tratar de cuidar de los demás y demostrar que yo era valiosa. Lisa se endeudó tratando de seguir dándose gusto en todo lo que quería, como estaba acostumbrada desde niña. Ni ella ni yo estábamos tomando decisiones basadas en lo que *valorábamos ni en lo que era mejor para nosotras*.

Para cambiar la forma en que manejamos el dinero hoy, como adultos, es útil comprender qué mensajes recibimos cuando niños. Uno de los principales mensajes para muchos de nosotros es que no éramos importantes; que una casa limpia, unos buenos modales y los sentimientos de los demás contaban mucho, pero nosotros no. Una buena manera de empezar a reescribir esos mensajes de la niñez es empezar a e*legir sentirnos importantes*.

Un día empecé a pensar en los niños de seis años. Me los imaginé durmiendo, explorando, corriendo y riendo. Comprendí que todo niño de seis años es importante y amable. Luego me vi a mí misma a los seis años y comprendí que, también yo, debí haber sido amable y especial. ¿A qué viene esto? Puesto que no estaríamos dispuestos a pagarle a alguien que no nos gusta, un primer paso para muchos, al tratar de aprender a pagarnos, es aprender a gustarnos y a aceptar que somos importantes.

Cada cual tiene su propia historia y sus mecanismos aprendidos que influyen en su actual relación con el dinero. Lo importante es que seamos sinceros con nosotros mismos. La fuerza de voluntad (infortunadamente) no opera cuando algo se halla profundamente arraigado, al menos no por mucho tiempo. Para cambiar realmente, debemos reconocer los patrones que aprendimos cuando niños y empezar a abandonarlos. A medida que los "debiera" y los "tengo que" van desapareciendo, podemos empezar a escuchar nuestra voz interior. Podemos empezar a darnos permiso de escuchar a nuestro corazón y de elegir la felicidad para nosotros mismos.

He aquí una experiencia que viví y que fue importante para ayudarme a desviar hacia mí misma la energía que dedicaba a los demás. Había concertado una cita con una asesora financiera, con la esperanza de lograr algún control sobre la situación económica familiar. Recuerdo que estaba de pie junto a ella, mientras examinaba los documentos financieros que yo le había llevado. Pasados uno o dos minutos, me los devolvió y dijo: "¿Esto es todo?" Tímidamente, asentí. Me dirigió una mirada que decía: "¿Por qué me está haciendo usted perder el tiempo?" Y me condujo a la puerta, diciendo: "Regrese cuando haya pagado sus cuentas".

Salí de su oficina y llegué al ascensor sintiéndome molesta y humillada, con sus palabras retumbando en mis oídos: "Vuelva cuando haya pagado sus cuentas". Cuando se cerraron las puertas del ascensor, se hizo una luz en mi mente. "¡Un momento! Mientras viva, siempre tendré cuentas. Durante diez años he tratado desesperadamente de acabar con las cuentas, y todo lo que ha ocurrido es que ahora tengo más que nunca".

Esto cambió todo. Salí del ascensor sintiéndome una persona distinta. Mes tras mes, año tras año, había dejado mi vida en suspenso, diciendo: "Tan pronto como estén pagadas las cuentas, *entonces* empezaré a ahorrar, *entonces* empezaré a hacer las cosas que me gustan". La mirada y las palabras de la asesora financiera me habían hecho sentir hasta tal punto perturbada, que había empezado a mirar las cosas bajo una nueva luz. Tenía una nueva realidad. Siempre, siempre habría cuentas.

Finalmente, estaba mirando las cuentas (y en particular

las cuentas a plazos) como lo que realmente son: una de las decenas de responsabilidades que tengo en la vida. Comprendí que las cuentas no son distintas de los platos o de la ropa que hay que lavar. Finalmente, las cuentas ocuparon el lugar apropiado en mi vida: una de las muchas responsabilidades que debo asumir, pero ciertamente NO una responsabilidad abrumadora y avasalladora. Todos los días, hasta el último, me cepillaré los dientes, me vestiré, haré la limpieza, pagaré las cuentas, comeré, hablaré. ¡Ah!, finalmente tenía una perspectiva. Mientras esté viva, generaré cuentas. (¡Es más: incluso generaré algunas después de muerta!)

La nube negra y avasalladora que las cuentas de las tarjetas de crédito, y otros grandes almacenes habían formado todos esos años se desvaneció. Por primera vez, tuve la "verdadera imagen" de la vida frente a mí. No estaba dispuesta a esperar, para empezar a vivir, hasta que las cuentas a plazos quedaran saldadas. Estaba tomando la decisión de empezar a vivir ¡ahora mismo!

Tuve suerte al haber tenido una experiencia "reveladora". Para mí todo se aclaró ese día. Para usted, sin embargo, llegar a la comprensión y a la determinación de que las cuentas deben ocupar un lugar menos importante en su vida puede tomar más tiempo y una gran dosis de convencimiento. ¿Su tarea? Poner las cuentas en el asiento trasero; y sus sueños, adelante, junto a usted.

Inconscientemente, muchos vivimos como si alguien o algo fuera a hacerse cargo de todo por nosotros. Miremos las cosas más de cerca. ¿Con qué podemos, o no podemos, contar? Piense, por ejemplo, en su pensión. El dinero de una pensión está usualmente comprometido en la compañía o invertido. Si la compañía sufre un revés o la bolsa de valores se desploma, igual le pasa a nuestra pensión de jubilación. ¿Y de la seguridad social qué? ¿Podemos sentirnos seguros al pensar que el dinero de la seguridad social estará allí para nosotros en el momento en que lo necesitemos o que será suficiente si efectivamente lo recibimos? ¿Y qué tal una herencia? Ésta es otra fuente de dinero con contenido emocional con la cual más vale que no contemos. ¿Y la lotería? La probabilidad de ganar el premio gordo es mínima. Por lo tanto, después de todo, ¿con qué podemos contar? Con nosotros mismos. Cuán diferente se hizo mi vida al dejar de estar ansiosa acerca de si la pensión de jubilación o la seguridad social serían suficientes y al empezar a *hacer* algo al respecto por mí misma.

Finalmente, empecé a tener una perspectiva del dinero. Durante casi toda mi vida, $50 eran una suma importante; $500, un montón de dinero, y $5 000, bueno, $5 000 eran algo que no se podía gastar en un momento. En la época de mi vida durante la cual el péndulo estaba oscilando desde una posición fuera de control (o bajo control ajeno) hacia la toma de consciencia de que era *mi* vida y de que *sería yo* quien escogiera lo mejor para mí, vi las sumas grandes de dinero en una forma nueva.

En cierto momento, me pregunté qué necesitaría si mi ingreso cesara y tuviera que depender de mí misma. Me imaginé que tenía $200 000 en ahorros. Al principio, ésta parecía una gran cantidad de dinero, pero luego comprendí que, como estaba acostumbrada a vivir con $30 000 al año, mis ahorros se acabarían en siete años. Entonces volví a hacer cálculos, proyectando no tocar los $200 000 sino vivir de los intereses producidos por este dinero. Si lograba obtener un interés del 10% anual (fácil, algunos años; casi imposible, en otros), eso produciría 10% × $200 000 = $20 000. De esta manera, yo recibiría, año tras año, $20 000 en pago de intereses, sin disminuir nunca el capital.

Estos cálculos me dieron una perspectiva completamente nueva para la pregunta "¿Cuánto dinero es mucho dinero?" De pronto, $600 o $3 000 no eran ya sumas que hicieran un hueco en mi bolsillo. Ahora, cuando quería tener control sobre mi vida y sobre mi futuro, sabía que $200 000 era la suma *mínima* que debía ahorrar para mí. Un ingreso de $20 000 para todo un año no es mucho, especialmente al final de la vida.

Tomar la decisión de pagarnos a nosotros mismos en primer lugar es difícil. Mi amigo Tom luchó con la idea de pagarse a sí mismo primero durante más de dos años. Asistió a mi seminario sobre el dinero y tuvimos, además, una sesión privada; el dinero era un tema frecuente de conversación. Aunque Tom tenía una mentalidad abierta y podía ver claramente que pagarse a sí mismo primero tenía sentido, algo no estaba funcionando.

Días después me llamó: "Carol — me dijo —, por fin lo logré. Me voy para la India. Ya no me diré más que quiero ir. Voy a ir. Quiero irme dentro de unos dieciocho meses, y espero llevar a mi hija de dieciséis años". Tom finalmente comprendió en qué consiste el manejo del dinero: *en descubrir lo que se quiere en la vida* y tratar de conseguirlo.

Si Tom persiste y efectivamente viaja a la India, habrá probado el sabor del éxito con el dinero. El soñar despierto, la esperanza y la búsqueda se habrán transformado en: "¡Lo logré!" Con el éxito viene la confianza. "Si lo hice una vez, puedo hacerlo de nuevo". A mí no se me ocurrió la idea de ahorrar $200 000 inmediatamente. Al principio eso hubiera sido incomprensible. Pero a medida que fueron creciendo mis ahorros y que pude darme grandes vacaciones con mi familia, fui adquiriendo confianza en mí misma y en mi capacidad de modificar mi propia situación financiera. Como el dinero menudo podía llegar a sumar $1 000 al año, empecé a creer que una mínima parte de mi sueldo, cada mes, colocada en una cuenta para jubilación crecería hasta construir un futuro seguro. ¡Ah! Me gustaba lo que estaba ocurriendo. Mis decisiones estaban produciendo cada vez mayores dividendos.

∿

Parece que la mayoría de la gente se contenta con breves momentos de felicidad, aquéllos que provienen de una barra de caramelo, una revista o el último utensilio de cocina. Inconscientemente actuamos desde una posición que nunca nos permitirá hacer todo lo que queremos. Por lo tanto, para calmarnos y tranquilizarnos, malgastamos el dinero.

¿Cuánto dinero puede escaparse de *sus* manos en un día? Veamos... Una gaseosa aquí, un café exprés allí, tal vez veinticinco centavos en un videojuego, o tal vez una nueva cinta o un disco compacto. Digamos que $3 al día se desvanecen en cosas no esenciales (palomitas de maíz, galletas, café, revistas, adornos, cualquier cosa). Usted estará diciendo: "Oiga, yo no gasto ni un centavo a la semana. Tomo el autobús todos los días, llevo mi almuerzo al trabajo y regreso directamente a casa cada noche, sin gastar más que en el pasaje del autobús, que es esencial". Está bien. Hoy es su día libre. ¿Es posible que pase por un almacén y acabe comprando una camisa o una blusa cuyo precio era de $59 y está ahora rebajada a $21? ¿O tal vez vaya al cine con un amigo, compre palomitas de maíz, vayan después a comer algo y gaste en total $21?

Veamos: $21 ÷ 7 días en la semana = $3 al día. Por lo tanto, utilicemos $3 como la suma que podría escaparse de sus manos en un día cualquiera.

Cuando multiplicamos 365 días del año por $3 (promedio gastado en cosas no esenciales), ¡resultan $1 095!

$$365$$
$$\times \, \$3$$
$$\overline{\text{¡}\$1\ 095 \text{ al año!}}$$

Es difícil de creer. Tan a menudo nos contentamos con efímeros momentos de alegría, cuando, si ahorramos sólo $3 al día, podríamos tener más de $1 000 para cosas que realmente valoramos en la vida.

Revise la siguiente fórmula:

Pobre de mí = desperdicio de dinero

¿Ha notado usted que, cuando siente lástima de usted mismo, tiende a gastar más dinero para ayudarse a sentirse mejor? Durante años sentí lástima de mí misma porque éramos cuatro personas viviendo de sólo un salario. Siempre parecía que todos los demás tenían dinero para vacaciones lujosas y para muebles hermosos y, en cambio, nosotros teníamos apenas lo justo para vivir. A fin de aliviar el pesar de "no tener nunca suficiente", nos íbamos a comer helados o al cine.

Comprender que $3 al día suman más de $1 000 al año, fue para mí un importante descubrimiento. $1 000. ¡$1 000! Esa cifra brillaba ante mí como una luz de neón. En un almacén, tomaba en mis manos un pequeño y simpático artículo y miraba el precio: $3.29. ¡Caray! Esto no son sólo $3.29. ¡Esto podrían ser $1 000!

Supongamos que usted está en la registradora del supermercado y ve una revista con varios artículos que parecen interesantes. Sin pensarlo, la incluye en el mercado para leerla más tarde en casa. De pronto, interviene su mente: "¿Qué estás haciendo? Sólo $3 al día se convierten en $1 000 al año. ¡Devuelve eso ya mismo!" Usted responde a la voz crítica devolviendo la revista y continúa a la cola ante el cajero. Al salir del almacén, se fija en las demás personas con sus revistas, dulces y galletas, y se dice a usted mismo: "Pobre de mí. No es justo. Todos los demás pueden comprar pequeñas cosas divertidas, pero yo no".

O puede cambiar a un nuevo modo de pensar. "Estoy muy contento de no haber comprado esa revista. Cuando lo pienso, no es lo que realmente deseo. Ahora mismo tomaré el dinero que hubiera gastado en la revista y lo pondré en mi bolsillo. Cuando llegue a casa, depositaré esos $3.29 en mi caja de sueños". Camina más ligero y respira más hondo mientras aplaude su decisión. "Son más de $3 para mi _____. ¡Estoy llegando a mi meta más rápido de lo que jamás imaginé!"

∽

¿Qué otra cosa nos impide pagarnos a nosotros mismos cuando recibimos el cheque del sueldo? Una de las razones por las cuales no tenemos éxito ahorrando es porque es a-b-u-r-r-i-d-o... zzzzzzzzzzzz. Lucy escribió: "Mi única cuenta de ahorros nunca tuvo dinero porque no le había puesto ningún rótulo. Nunca tuvo un nombre. Nunca significó gran cosa para mí. Apenas dinero para gastar".

¿Qué hace la diferencia? Ahorrar *para algo*. Lucy continuó: "Ahora pienso en lo que realmente quiero (hacer un viaje a Alabama a visitar a Nancy y conducir mi auto hasta Nueva Orleáns para asistir al festival de jazz. ¡Qué divertido!). Tiene un nombre. También tengo un fondo para las emergencias, que no dejan de presentarse. Ahora, no gastaré el dinero del viaje a Alabama si algo se presenta".

¡Qué diferencia! Adiós al aburrimiento. ¡Bienvenidas las metas! Ahorrar para algo que a usted le gusta, funciona. Es motivador, estimulante y divertido. No importa si es un viaje, un computador, un mejor trabajo o la decisión de trabajar sólo tres días a la semana; si es lo que usted realmente quiere, entonces es emocionante y vivificante. Lo hará saltar de la cama por la mañana y *querrá* ahorrar para eso.

En mi conversación con Anne, ella continuó contando cómo había cambiado su manera de pensar: "Ahora soy más cuerda. Estoy obteniendo lo que realmente quiero en la vida y aprendiendo a elegir. Pienso que muchas veces, en los viejos tiempos, compraba cosas porque creía que tenía que hacerlo. Si no tenía nada que hacer, me iba de compras, o algo así. Comprendo ahora que gran parte de las cosas que compraba y llevaba a casa nunca salieron del empaque, porque en realidad no las quería. Comprendí que aun cuando el dinero no compra la felicidad, puede comprar cosas materiales y comodidades que contribuyen a ella. A partir del momento en que empecé a elegir lo que *realmente* quería y a pensar en ahorrar dinero, me sentí satisfecha al obtenerlo, porque en realidad significaba algo para mí. En cada uno de mis cumpleaños me regalo algo lujoso. Siempre cuesta mucho dinero y me siento muy feliz".

TODO O NADA

¿Cuál es otra razón por la cual muchos no ahorran? Porque actúan con base en TODO o nada. Mientras están pagando las cuentas, dicen cosas como: "*Si* sobra algún dinero, *entonces* ahorraré una parte". Como muy rara vez, o ninguna, hay dinero "extra" después de pagar las cuentas, ningún dinero se destina a los ahorros. Se dicen a sí mismos: "Si no puedo ahorrar por lo menos $50 o $100, entonces no vale la pena ahorrar nada".

¿Cuándo fue la última vez que usted depositó $4.19 en su cuenta de ahorros? ¿O $1.63 o $14.77? La mayoría piensa que eso sería ridículo, una cantidad irrisoria. Entonces, ¿qué hacen por sus ahorros? ¡NADA!

(Dicho sea de paso, si usted depositara $4.19, $14.77 y

$1.63 en una cuenta cada *mes*, ahorraría $249.08 al año. Si ahorrara esa suma *semanalmente,* ¡dentro de un año dispondría de $1.070.68! Un poquito aquí y otro allá van sumando.)

¿Ha notado que en la vida hay muchas cosas que enfocamos desde el punto de vista de los extremos todo o nada? Si hay un garaje o un armario que ordenar, rara vez pensamos en ordenar dos o tres cosas. Si se trata de hacer la declaración de renta o de escribir una carta importante, no se nos ocurre dedicarle quince minutos, cada cierto tiempo, hasta terminarla. Lo que la mayoría hace es esperar hasta disponer de una buena cantidad de tiempo para realizar la tarea. Mientras tanto no efectúa ningún progreso. Si no hay tiempo para llenar completamente el lavaplatos automático, no ponemos en él un solo plato. Un paseo de veinte minutos o ninguno. Una larga carta a un amigo o ni una sola letra. ¿Cuándo fue la última vez que hizo una pausa de cuarenta segundos en el trabajo o en la casa y escribió una nota para alguien especial en su vida, diciendo: "Querido＿＿＿＿＿＿: sólo quería hacerte saber que eres alguien especial para mí. Espero que todo esté bien"? Se sentiría muy bien al mandarla. La persona se sentiría maravillosamente al recibirla. Descubrir un punto intermedio entre todo y nada es algo que nos produce grandes dividendos.

Apliqué por primera vez en mi vida la fórmula "todo o nada" cuando traté de ahorrar. Si no tenía por lo menos cien dólares "de sobra" o "extra" en la chequera después de pagar las cuentas, entonces no depositaba *nada* en la cuenta de ahorros. Ni un solo dólar.

La mayoría de las personas ni siquiera piensa en la conveniencia de hacer aunque sea sólo un poco. Dicen: "A mí no me gusta hacer un poco; una vez empiezo, me gusta terminar", o: "Si se va a hacer algo, mejor hacerlo bien". Por eso no es raro que tantos aspectos de nuestra vida se hallen descuidados.

Nuestro punto de vista de "todo o nada" nos aleja de la diversión y de la realización. Nos llena de sentimientos de culpa y de tensiones por no empezar a poner en práctica ciertos proyectos o por empezar a realizarlos y no acabar otros. Nos sentimos mal si no ahorramos ningún dinero durante meses y meses, y nos sentimos igual de mal si depositamos un montón a comienzos de mes para retirarlo a fin de mes.

Es hora de revisar la fórmula: "Si se va a hacer algo, mejor hacerlo bien". ¡NO! Si se va a hacer algo, mejor hacerlo. ¡Y punto! Sólo $10 ahorrados al mes, se vuelven $120 al año. ¡Son $120 más de lo que tendría si no guardara nada!

¿De qué serviría una suma tan pequeña como $5? Si, a partir del día en que usted nació, sus padres hubieran depositado en el banco $5 al mes (cerca de $1 a la semana) para usted (con un interés del 5.5%) y usted contara hoy cuarenta años, tendría $8 700. No está mal para sólo $5 al mes. ¿Pero qué hubiera ocurrido si hubieran procurado obtener un interés más alto durante los cuarenta años de ahorros? Si los ahorros de $5 al mes hubieran ganado un interés promedio del 10% (sólo 4.5% más), ahora tendría $31 800 en vez de $8 700. Aunque la tasa de interés no alcanza a ser el doble (pasó de 5.5% a 10%), habría acumulado $23 100 más con el mismo depósito de $5 al mes; ¡casi cuatro veces más cantidad de dinero!

¿El mensaje? Esté atento a la tasa de interés. La gente me ha dicho: "Pero a mí me gustan los cajeros de mi banco", o: "¡Mi banco es tan cómodo!" ¿La comodidad o el personal valdrán $23 100 de su dinero? (Comprendo que las tasas de interés pueden ser menos del 10% en este momento. En los años que han pasado desde que empecé a manejar mi dinero, las tasas de interés han oscilado entre 16% y 2.5%. Presenté el ejemplo del 5.5% y el 10% para ilustrar por qué queremos obtener la mayor tasa de interés [segura] posible. Una vez que usted coloque su dinero en una cuenta de ahorros, *hágale el seguimiento*, y asegúrese de que está obteniendo el mejor interés que puede en el momento actual.)

Funciona en la vida, funciona con el dinero. Un poquito aquí y un poquito allá suman un montón, haciendo *algo* en vez de "todo o nada". Anne continuó: "No me ha visto usted hace tiempo, pero he perdido bastantes kilos. En parte se debe a que ahora camino más en vez de tomar el autobús o utilizar el automóvil. Usualmente, trato de caminar ocho kilómetros al día. No es que no me siente por las noches a comer galletas; sí lo hago; sólo que ya no lo hago siete noches a la semana. Cuando usted se pone a dieta y todo lo que puede comer es toronja, llega un día en que ya no lo puede soportar. Empieza a comer todo lo que encuentra a mano. El dinero que gastaba en el pasaje del autobús (porque no resistía caminar ni una cuadra), y el dinero de todas las golosinas que antes comía, ahora también lo ahorro. Desde que tomé su curso y elijo y decido sobre lo que verdaderamente quiero, tengo un ingreso extra, debido a los cambios en mi estilo de vida. Obtengo una mayor satisfacción con el dinero, porque ahora determino qué es lo que en realidad quiero y destino mi dinero a eso".

¿Dónde y cómo opera en *su* vida el enfoque "todo o nada"? ¿Cuándo adopta ante una persona, lugar o cosa la actitud de "todo o nada"?

He aquí lo que ocurrió cuando Diana empezó a pensar en "algo", en lugar de en "todo o nada". "El dinero era algo que yo simplemente no tenía y, probablemente, nunca tendría. Esto realmente no me preocupaba mucho, pero además no tenía ni aspiraba a tener nada. Ahora comprendo que deseo muchas cosas y que puedo obtenerlas. Cuando obtuve la visión de cómo puedo conseguir cosas empezando con poco, entonces empecé a pensar en cosas grandes que realmente quiero hacer, tal como tener un negocio propio. Ahora mi meta es conseguir dinero para iniciar mi negocio el año entrante".

Hace algunos años, estaba dando un seminario sobre el dinero a un grupo de padres con carencias económicas. Todos en el grupo vivían por debajo del nivel de pobreza, y la mayoría, si no todos, recibía de la seguridad social subsidios y vales para comida. Nunca olvidaré a la joven que estaba sentada a mi izquierda. Apenas iniciado el programa, se puso bastante molesta con lo que yo estaba diciendo e hizo saber que ella no podía, de ninguna manera, "pagarse a sí misma primero" con su ingreso. "No hay ni un centavo... ni *siquiera un centavo* de sobra a fin de mes", dijo en forma vehemente. Al finalizar el seminario, nos contó que iba a dedicar $25 para ella en primer lugar, todos los meses. Habló con determinación y con lágrimas en los ojos. "No importa qué suceda, tomaré cada mes $25 para mis hijos y para mí", declaró.

Una increíble satisfacción interior se deriva de elegir hacer "algo" en vez de "todo o nada". ¿Cuánta satisfacción y alegría hemos dejado escapar porque pensábamos que necesitábamos hacer algo "bien"? He aquí una reflexión que una vez leí y que se ha vuelto una de mis favoritas: "Es más importante para mí empezar a hacer lo correcto en vez de esperar hasta que piense que lo puedo hacer a la perfección".

❧

La razón por la cual los seminarios tradicionales sobre el dinero no han ayudado a la mayoría de la gente es que la solución para el manejo del dinero no es sencilla. Las principales cuestiones de dinero tienen que ver con toda una gama de emociones humanas: sentimiento de culpa, miedo, autocompasión, inseguridad, orgullo, necesidad de fuerza y firmeza, ansia de dominio, etc. La razón por la cual nuestro enfoque del dinero funciona es que reconoce nuestras pautas y emociones con relación al dinero. Estamos eliminando el miedo y las indicaciones sobre lo que debemos hacer. En cambio, nos situamos como ante un gran mostrador de comida y nos preguntamos: ¿Qué estará sabroso? Y escogemos para nosotros mismos lo que realmente queremos.

Deténgase un momento para hacerse una imagen de usted mismo. Consiga una hoja de papel o simplemente cierre los ojos y suponga que hay una hoja en blanco ante usted. Imagine tres cosas colocadas en la hoja: usted, sus cuentas y sus sueños. Dedique un momento para obtener la sensación de tamaño, forma y color de sus cuentas. ¿Qué hay de sus sueños, metas y aspiraciones? ¿En qué parte de la página están? ¿En dónde está usted en relación con sus cuentas y sus sueños? Le aconsejo dedicar unos segundos a esbozar lo que se está imaginando. Lo que aprenda acerca de usted mismo y de su relación con sus cuentas y sus metas puede ser liberador.

En un seminario, Dorothy, una profesora de treinta y siete años de edad, dibujó una figura de sí misma con los brazos extendidos. Sus cuentas estaban en cajas apiladas sobre sus brazos, y llegaban hasta más arriba de la cabeza. Estaba rodeada de una nube negra. Sus metas eran un triángulo diminuto bastante alejado, a un lado de la hoja. Dorothy nos escribió sobre el dibujo que hizo de sí misma, sus cuentas y sus metas: "Mi ingreso se está achicando, mis cuentas están creciendo y yo estoy a punto de enloquecer. Mis metas siempre están a un lado, porque estoy muy ocupada tratando de llegar a la siguiente quincena. Estoy furiosa conmigo misma, porque pienso que he desperdiciado demasiado dinero en cosas que sólo me trajeron una felicidad pasajera. Fui educada en la idea de que el manejo del dinero es una forma de renunciación: no puedes tener las cosas hermosas que deseas".

John, un técnico en ingeniería nuclear, de cuarenta y dos años de edad, hizo un dibujo de sus metas atrapadas entre gruesas paredes de cuentas rodeadas de alambre de púas. Él era una diminuta figura situada fuera, a la izquierda de la trampa. John escribió: "A menudo parece que mis metas están rodeadas de unos obstáculos realmente formidables. Me siento insignificante cuando me enfrento a la inercia de mi situación. El problema no radica en producir dinero, sino, más bien, en aplicar sabiamente los fondos en la vida diaria".

Adriana, propietaria de un negocio, con sesenta años de edad, se dibujó satisfecha de haber podido pagar sus gastos, pero sus metas estaban colocadas abajo y fuera del conjunto. Ella explicó: "Yo pago todas las cuentas de gastos personales y del negocio. Las cuentas no son abrumadoras, pero mis metas están en el suelo, muy lejos de mí".

Aunque las imágenes de cada uno son distintas, la experiencia es en general la misma: las cuentas son grandes, poderosas y desproporcionadas, y las metas están en algún lugar fuera de nuestro alcance.

¿Habrá alguna duda sobre por qué no nos pagamos a nosotros mismos? La buena noticia es que, una vez que estamos en contacto con nuestra propia imagen y nuestros obstáculos, podemos empezar a cambiar el cuadro. Podemos empezar a dirigir la mira hacia nuestros sueños.

La gente frecuentemente me pregunta: "¿Cómo decido cuánto empiezo a pagarme a mí mismo?" ¿La respuesta?

Empiece a darse *algo* a usted mismo. Empiece con poco. Sea realista. Puede empezar destinando $3 de cada pago de su sueldo a un fondo para las vacaciones que desea, y otros $6 a un fondo de emergencias.

Tenga cuidado. Sin darse cuenta, el escéptico que hay en usted puede burlarse de los meros $3 o $6. Esto me recuerda cómo emprendemos, a menudo, un programa de ejercicio. Salimos de casa con el propósito de caminar sólo un kilómetro el primer día, para llegar luego sensatamente a un saludable hábito de varios kilómetros diarios. Pero después del primer kilómetro, nos sentimos tan bien, que continuamos hasta diez y, al día siguiente, ¡no podemos levantarnos de la cama! ¿El resultado final? Desistimos del plan de ejercicio y nos encontramos nuevamente en donde comenzamos. ¡No queremos que eso suceda con nuestro dinero!

Lo más importante de empezar a pagarse a usted mismo, es empezar. Haga cualquier cosa que funcione. Por ejemplo, envíele un cheque de $8.50 a un pariente, al otro extremo del país, y pídale que le prometa no consignarlo mientras usted no haya realizado su meta. Empezar puede consistir en jugar al juego del cambio o en tomar $6.00 de su sueldo, ponerlos dentro de una media y esconderlos en un lugar seguro. Lo importante no es la mira o la cantidad de dinero que ponga aparte. Lo que importa es que *empiece*.

La idea de lanzarse y empezar me recuerda el día en que intercambié los cuartos de mis hijos. En el momento en que había sacado las camas y todo lo demás al corredor, caí en la cuenta de que el cuarto de Dominic necesitaba una mano de pintura. Estaba parada en el corredor mientras pensaba: "No hay tiempo para pintar el cuarto ahora", y luego: "Carol, éste es el momento de pintarlo, puesto que no hay nada en las paredes". Una vez que me hice la pregunta pertinente, dejé de dudar: "¿Quiero que el cuarto se vea fresco y limpio o puedo aceptarlo tal como está?" (no había sido pintado desde que se construyó la casa, unos quince años atrás). Tenía mi respuesta. Llevé del garaje un poco de pintura y empecé a pintar una pared.

Al poco tiempo, tuve que parar. Tapé la lata de pintura, empaqué el rodillo de pintar y terminé de colocar y organizar la cama de Dominic. Lo que ocurrió después fue que, cada vez que pasaba frente al cuarto, veía la hermosa sección de pared recién pintada. Era como si el resto del cuarto me estuviera pidiendo: *"Pínteme. Pínteme"*. Hasta este momento de mi vida, mi opinión acerca de trabajos largos, como éste, era esperar hasta cuando tuviera un día entero sin otra cosa que hacer. Ésta era precisamente la razón por la cual el cuarto de Dominic nunca había sido pintado.

Me encontré, de pronto, robándome unos minutos aquí y unas horas allá. Ponía a Dominic a dormir en mi cama y pintaba un rato por la noche. En el fin de semana le dedicaba una o dos horas. Al cabo de un mes, el cuarto tenía dos manos de pintura y se veía estupendo.

Qué lección para mí: EMPEZAR. Reserve $6 de su sueldo antes que nada y deposítelos en un frasco, o abra una cuenta de ahorros con un destino determinado: un fin de semana de paseo, un abrigo de invierno, un sofá nuevo. Al tener efectivamente cada mes algo de dinero en sus manos, y ponerlo aparte, usted ha creado un impulso. Como la pared pintada, lo llamará. Tres meses después usted notará que hay $18 reservados y se dirá: "¡Fue taaaaan fácil! Pienso que empezaré a reservar de mi sueldo $11 en lugar de $6, cada mes, para pagarme a mí mismo".

Antes de darse cuenta, el frasco o la cuenta de ahorros comenzará a llenarse y usted estará depositando más y más dinero. Empezará a abrir otras cuentas para la reparación del automóvil, la remodelación de la cocina, la bicicleta y el viaje con que siempre ha soñado.

Al exponerle este método, no le voy a decir cuánto ahorrar, porque entonces la fuerza que lo impulsa se volverá sentimiento de culpa. Si sentimos que tenemos que ahorrar cierta suma, esto se nos convierte en una obligación, en más estrés y en otra forma de fracasar.

La razón por la cual este método funciona, y funciona tan sumamente bien, es porque empezamos ahorrando una pequeña suma realista para algo que realmente nos motiva. Rotular un recipiente y depositar en él el cambio es una actividad tan sutil que, al comienzo, no nos damos cuenta de todo lo que está ocurriendo.

Muy a menudo nuestros intentos de alterar nuestra situación de dinero han consistido en reducir gastos, esforzarnos y privarnos de algo. Cuando abandonamos esas prácticas inútiles, nuestra vida, en lo que concierne al dinero, se va transformando imperceptiblemente. A medida que, sin pena ni esfuerzo, vamos llenando nuestra caja de los sueños, algo empieza a suceder en nuestro interior. Empezamos a comprender que ahorrar y obtener lo que queremos no tiene por qué ser una experiencia penosa. Entonces, cuando vemos cuán rápido está creciendo el dinero, nos sentimos motivados para hacerlo crecer más rápido. Y, una vez que hemos empezado, el frasco o la cuenta de ahorros nos llamará: "Más dinero para Europa, por favor". "Ya llega la Navidad; envíe más $$$$$".

Recuerde: realmente no *ahorramos* nada al privarnos de una compra. En el momento en que va a comprar café, un disco compacto u otra cosa, la pregunta que debe hacerse es: "¿Qué quiero yo realmente?" Sólo usted puede responder sinceramente esta pregunta. Al darse permiso de realizar sus metas, se convertirá en un experto en descubrir la multitud de opciones que tiene y en sopesarlas cuidadosamente. Mirará el artículo de $3 que está a punto de comprar y se preguntará: "¿Sería preferible no gastar los $3 y ahorrarlos para (Europa, la bicicleta, el kayak...)?", o: "¿Es ésta la manera como quiero gastar mi dinero en este momento?" A medida que hace esto más y más veces, descubre que, algunas veces, lo que realmente quiere es la golosina o el artículo. Habrá también otras ocasiones en que lo que realmente quiere es tomar el poco dinero *inmediatamente* y llevarlos a su casa para la caja de los sueños.

Una de las razones por las cuales esta actitud ante el dinero funciona tan bien es porque estamos eliminando la sensación de sentirnos privados de algo. La idea no es *privarse* de algo. La idea es *tener* algo... que usted realmente quiere. Es clave tomar el dinero que usted decidió no gastar y asegurarse de que llegue a casa, y de que sea depositado en la caja de los sueños.

Recuerde: si vale la pena hacer algo, vale la pena. Punto. No habrá medallas de oro por empezar en grande. Aquí los ganadores son aquéllos que empiezan con poco, y en forma realista, pero avanzan con fe, como la tortuga que al final ganó. Ahorrando con realismo pequeñas sumas de *cada* sueldo, la tortuga mantuvo fácilmente el paso. ¡Con el tiempo, el dinero creció y la tortuga llegó a su meta!

TRES

¿Dijo usted que abonara el mínimo posible a mis cuentas a plazos?

Los problemas significativos que enfrentamos no pueden resolverse con el mismo nivel de pensamiento que teníamos cuando los creamos.

— Albert Einstein

¿Quiere usted que sus cuentas en tarjetas de crédito desaparezcan para siempre? Entonces, pague únicamente la cuota mínima requerida cada mes.

"¿CÓMO? ¿Empezar a abonar el *mínimo* requerido a mis cuentas a plazos?"

"¡Debe de estar tomándome el pelo!"

"¿Y qué hay de los intereses que me cobran?"

"*Nunca* acabaré de pagar las cuentas si abono sólo el mínimo requerido".

"Eso es ridículo e irresponsable".

"No me gustan las cuentas. Me gusta cancelarlas rápidamente".

Es verdad. Abonar sólo el mínimo requerido a las cuentas de tarjetas de crédito (cuentas a plazos) suena extraño e irresponsable. Sin embargo, a menudo las cosas que tienen menos sentido, inicialmente, funcionan mejor, como las instrucciones de las azafatas en los aviones. Se les pide a los padres que se pongan las máscaras de oxígeno primero y que después ayuden a sus hijos y a los demás. Inicialmente, esto suena equivocado, como si fuéramos a desamparar a nuestros hijos. Luego, al comprender que no serviríamos de nada si no estuviéramos vivos y respirando, aceptamos estas instrucciones. Así, como en el caso de la máscara de oxígeno, esta idea de abonar el mínimo a las tarjetas de crédito suena inicialmente equivocada... hasta que comprendemos.

Antes de entrar en pormenores sobre por qué y cómo pagar el mínimo, quiero reconocer que el deseo de tener las cuentas pagadas es admirable. En una situación ideal, la solución sería eliminar todas las deudas, de la misma manera que mantener toda la ropa limpia y planchada, el automóvil lavado y en buen orden, los armarios y los escritorios organizados y limpios y las fotografías en los álbumes. Pero la vida no es *ideal*.

Para mí, las cuentas a plazos siempre tenían prioridad. Cada mes, cuando me sentaba ante la pila de cuentas, mi meta era pagarlas todas. Analizaba todos los aspectos posibles y siempre terminaba dedicando más dinero a las cuentas de lo que podíamos permitirnos, con la esperanza de salir de ellas lo antes posible.

Pagaba tanto como creía viable al comienzo del mes y, al mismo tiempo, no dedicaba nada o casi nada a los ahorros como respaldo. (Si algún dinero lograba encaminarse hacia los ahorros, era sólo cuestión de tiempo antes que se necesitara y hubiera que retirarlo.) Por lo tanto, cuando se acababa el dinero, recurríamos a las tarjetas de crédito para comprar lo que necesitábamos hasta que llegara el siguiente día de pago. Y así sucesivamente.

Mes tras mes, año tras año, traté desesperadamente de saldar nuestras deudas a crédito. ¿Resultado? ¡Diez años después teníamos más deudas que nunca! Al principio pensé que esta urgencia incontrolable de eliminar las cuentas era una fijación sólo mía. Pero he descubierto que no soy yo la única con el abrumador síndrome de saldar urgentemente las cuentas. Después de más de un decenio de dirigir seminarios sobre dinero, sé que casi todos estamos atrapados; nuestros esfuerzos, energía y dinero están encauzados hacia una meta: lograr saldar las cuentas y controlarlas. Después de todos aquellos años tratando de aplicar el principio de que debía lograr el control sobre mi dinero, finalmente retrocedí y admití que no sólo mi admirable plan no estaba funcionando, sino que estaba obstaculizando la calidad y el goce de mi vida diaria.

Mis años como profesora me han enseñado que el

concepto de abonar el mínimo requerido a las cuentas a plazos constituye una barrera casi insuperable para la mayoría de la gente. Y, si usted es el tipo de persona a quien le funciona especialmente el hemisferio izquierdo del cerebro, analítico y economista, será todo un reto para usted aceptar este método. Muchos nunca logran ponerlo en práctica. Es radical. Es divertido. Y lo realmente importante es que funciona. Si usted aplica este método, no sólo sus deudas adquiridas mediante tarjetas de crédito quedarán eliminadas de una vez por todas, sino que logrará el dominio y el control sobre su dinero.

Básicamente, hay dos clases de cuentas: 1) las cuentas mensuales, ocasionadas por las necesidades básicas de la vida, como el alquiler o la hipoteca, la electricidad, el agua, el servicio de recolección de basuras, y 2) las cuentas que acumulamos al tomar prestado dinero para conseguir cosas que no tenemos con qué pagar en ese momento (préstamos a plazos y tarjetas de crédito).

La primera categoría siempre nos acompañará; mientras consumamos agua o encendamos las luces, recibiremos una factura de cobro por el servicio. La segunda categoría refleja las ocasiones en que decidimos sobrepasar nuestros medios. Por tal o cual razón, pedimos un préstamo a una entidad crediticia para poder conseguir algo hoy, sabiendo que tendremos que pagarlo durante muchos mañanas.

Mire su cuenta y compare la cifra que establece el "pago mínimo requerido" con la suma que corresponde a intereses cobrados sobre el saldo acumulado. El pago mínimo debe ser mayor que los intereses acumulados. De no ser así, *¡cambie de entidad crediticia!* Ha habido casos de entidades de crédito poco escrupulosas en las cuales los pagos mínimos no disminuyen el saldo total. Esto es increíble. Cuídese de esta clase de entidades.

Algo que oí por la radio un día me ayudó a comprender los efectos de mi actitud ante el dinero. Las aerolíneas estaban en guerra de precios, y el pasaje de ida y regreso Seattle-Los Ángeles costaba sólo $59. Los Ángeles significaba visitar a mi abuela, a mis tíos y, claro está, a Disneylandia. Comprendí claramente que si no hubiéramos tenido deudas en siete tarjetas de crédito, fácilmente hubiéramos podido comprar pasajes para nosotros cuatro. Habríamos podido tomar el avión un viernes, después del trabajo y de clases, para disfrutar un muy completo fin de semana en California, y estar de regreso el domingo por la noche. Si hubiéramos estado viviendo en el presente, en lugar de tener que dedicar el dinero de hoy a pagar cosas compradas en el pasado, habríamos podido aprovechar esta oportunidad de viajar a California.

Finalmente, estaba empezando a reconocer mi propio modelo de comportamiento y odiaba lo que veía. Apenas sobrevivíamos de quincena en quincena, apretándonos el cinturón y, sin embargo, cada vez nos endeudábamos más. Quería escapar de la trampa y quería dinero en el banco. Dinero que fuera mío (no prestado por MasterCard, las tiendas de departamentos, el banco, los parientes o las compañías de seguros). Por fin estaba empezando a operar desde mi interior, porque finalmente me había planteado la pregunta apropiada: "¿En qué quiero realmente invertir mi energía?" Comprendí que no quería seguir en la interminable carrera de trabajo, cuentas, trabajo, cuentas. Lo que quería en realidad, antes que tener las cuentas saldadas, era ser feliz y gozar de la vida *ahora*.

Lo que realmente quería era la libertad de ELEGIR. Elegir continuar las clases, viajar y todo lo demás que había dejado pendiente. Quería las opciones que automáticamente acompañan el hecho de tener dinero.

La comprensión de lo que realmente quería me estaba

ayudando a ver cuál era el siguiente paso. Mis metas me estaban impulsando a la acción. Estaba decidida a encontrar la manera de ahorrar dinero para las cosas que tenían importancia para mí.

Nuevamente la clave es la elección. Evidentemente, lo que había estado haciendo durante los últimos diez años no estaba funcionando, y era hora de tomar nuevas y diferentes decisiones. Empecé a sacar de la biblioteca libros sobre finanzas y a inscribirme en seminarios sobre dinero e inversiones.

Un día que me encontraba en un seminario sobre finanzas, la profesora solicitó un voluntario. Levanté la mano. "¿Cuántos años tiene usted?" "Treinta y dos", contesté. Ella extendió un metro de tela y marcó la distancia de cero a treinta y dos. "Carol — dijo —, si en la segunda mitad de su vida le va financieramente igual de bien (estiró más el metro hasta sesenta y cuatro) a como le ha ido hasta ahora, ¿qué tan bien estará?"

Tragué saliva. Aturdida y sonrojada, capté la alusión. Veamos. ¡Si tengo $5 en ahorros a la edad de treinta y dos, tendré $10 a la edad de sesenta y cuatro! Y si tengo $5 000 en deudas ahora, a los sesenta y cuatro estaré en un hoyo de $10 000. Nada bien.

Ver hacia dónde me estaban encaminando mis decisiones, me conmovió. La verdad era que si no podía ahorrar dinero ahora, entonces nunca lo haría. Si no podía sacar algo para ahorrar, ahora que mis hijos usaban pañales y ropa barata, ¿entonces a quién estaba engañando al pensar que, más tarde, cuando fueran adolescentes, ahorrar sería más fácil? (¡Dicho sea de paso, mis hijos *están* ahora en la adolescencia y nuestras cuentas de comida son astronómicas!) La experiencia del metro me sacudió y me hizo golpearme con la realidad. Me hallé en estado de conmoción, paralizada... y luego agradecida. Esta experiencia era exactamente la sacudida que necesitaba para darle final- mente una mirada a mi actitud ante el dinero y admitir: "Esto no funciona".

Les he estado contando acerca de los años y años en que me dediqué a pagar cuentas sin ahorrar nada, para dejarles saber que comprendo el dominio que las cuentas ejercen sobre nosotros. Quiero que sepan que no estoy inventando teorías ni sugerencias imposibles. Estoy com- partiendo ideas simples y prácticas que funcionan. Es de la mayor importancia recordar todo el tiempo que el manejo del dinero no consiste en hacer presupuestos y calcular porcentajes. El punto crucial del manejo del dinero se encuentra muy dentro de nosotros: en lo que valoramos. Una vez que abrazamos fuertemente nues- tras pasiones y nuestros sueños, empezamos a sentir que albergamos un propósito. Cuando nuestro corazón se conmueve ante el pensamiento de lo que estamos ha- ciendo, entonces sabemos que nos hallamos en el buen camino: nos sentimos llenos de energía, comprometidos y ansiosos de dedicar tiempo y amor a lo que hemos ele- gido.

Empezaremos a adquirir control de nuestra situación al admitir que lo que hemos estado haciendo no funciona. Finalmente, lo admití cuando me enteré de las tarifas rebajadas de los pasajes. Tomé la determinación de tener dinero en efectivo listo para la próxima oportunidad que se presentara.

Mi pensamiento fue el siguiente: "Si hago el mínimo pago requerido en mis tarjetas de crédito, obviamente tendré más dinero en la chequera. Si tengo más dinero en la chequera, entonces estaré mejor equipada para pagar en efectivo lo que necesite en lugar de usar mis tarjetas de crédito. Si egresa menos dinero, tendré más dinero para ahorrar". Mi actitud estaba cambiando, y el dominio que tenían sobre mí las cuentas estaba por fin empezando a ceder.

VIVIR DEL CRÉDITO NOS MANTIENE VIVIENDO EN EL PASADO

Cuando hacemos un abono a una tarjeta de crédito, estamos tomando el dinero de hoy y destinándolo a pagar cosas que compramos en algún momento del pasado. Y, peor aún, utilizando nuestras tarjetas de crédito permanecemos atrapados en la urgencia de pagar las tarjetas en primer lugar y empezar a vivir después. Cada vez que utilicemos las tarjetas de crédito, estaremos postergando nuestra decisión de vivir.

Veamos nuestra opinión respecto a las tarjetas de crédito (en realidad, es bastante extraña.) Si no tengo dinero para pagar por un artículo hoy, ¿qué me hace pensar que en mi próxima quincena habrá superabundancia de dinero, suficiente para pagar los gastos presentes, y además para pagar los gastos del pasado? Para mí, el viaje a través de las tarjetas de crédito era un juego, y la única persona a quien estaba engañando era a mí misma.

"Antes, siempre pensaba que tenía que pagar el doble de la cuota mínima requerida, y entonces no tenía efectivo — dijo Mary Ann —. Me preguntaba por qué estaba siempre quebrada y por qué debía todavía la misma suma. Era un círculo vicioso. Cuando empecé a hacer pequeños abonos mínimos, me tomó cerca de dos meses dejar de usar la tarjeta de crédito. Éste fue un cambio fundamental para mí. Todavía hago esto. Tampoco siento ya ese pánico de tener que pagar a todo trance. Tengo planes y siento que ejerzo un mayor control. No puedo creerlo. Realmente tengo dinero en el banco. ¡Qué idea tan extraña!"

Bonnie escribió: "Hace ocho meses dejamos de utilizar nuestras tarjetas de crédito. He descubierto que no cargar las compras a la tarjeta me ha conducido a tomar decisiones más precavidas cuando gasto mi dinero devengado con tanto esfuerzo y a no actuar en forma impulsiva. El resultado de todo esto es que nuestra deuda contraída mediante tarjetas de crédito es menor. Y no tengo ese fuerte sentimiento de culpa que experimentaba cada vez que usaba una tarjeta de crédito y agrandaba nuestra pesada deuda. Gastar dinero es ahora divertido, sin sentimiento de culpa".

Antes de seguir adelante, es importante aclarar que tener una tarjeta de crédito en la sociedad actual es conveniente y algunas veces casi esencial. Por ejemplo, ¿ha tratado en alguna ocasión de alquilar un automóvil sin tener tarjeta de crédito? Utilizar la tarjeta para pagar el alquiler no es, sin embargo, esencial.

¿Debe usted llevar consigo tarjetas de crédito? Si así es, ¿cuántas? ¿Cuáles? ¿Le conviene usarlas? Recuerde que ya no hay "debiera" ni "tengo que". Acudiremos a una nueva fuente para contestar estas preguntas. Acudiremos a la única persona que sabe: uno mismo. El fondo de todo reside en ser totalmente sincero con uno mismo: descubrir qué funciona para uno y qué no. No importa qué le funciona a otra persona; usted debe descubrir qué le funciona a usted.

Al principio, cuando estaba todavía luchando con todos los problemas de las tarjetas de crédito, necesitaba sacarlas de mi billetera y dejarlas en casa. (He aquí algunas buenas sugerencias que he oído a lo largo de los últimos años: esconderlas en el rincón más alejado y oculto del desván; cavar un hoyo de un metro de profundidad en el jardín interior y dejarlas ahí; colocarlas en una vasija llena de agua y congelarlas. Así, si verdaderamente necesitara usar su tarjeta para tomar un avión a fin de estar cerca de alguien a quien ama, tendría acceso a la tarjeta.) Hoy en día podría llevar conmigo tranquilamente todas las tarjetas de crédito, pues he tomado la decisión de no usarlas. Me he enamorado de la libertad y de la relajante sensación de control que me produce planear el futuro e ir pagando a medida que avanzo.

Sólo usted sabe lo que necesita hacer. Muchas personas admiten que no tener una tarjeta de crédito en la billetera no las detiene. Encuentran la blusa perfecta o la corbata soñada y le explican al vendedor: "Lo siento, no tengo mi tarjeta aquí". "No hay problema, señor Smith, la tenemos en el computador". Por lo tanto, aprenda a conocerse a sí mismo. Haga lo que necesita hacer para asegurar su propio éxito. Pero primero necesita tomarse el tiempo necesario para descubrir qué es lo que realmente quiere.

Recuerde: el dinero es un asunto emocional. Está cargado de emociones. Tony escribió: "Cuando me sentía deprimido, usaba las tarjetas de crédito para sentirme mejor. El resultado final era que me sentía incluso peor". Prácticamente cualquier paso que damos (grande o pequeño) está basado en cómo nos sentimos en donde vivimos, con lo que comemos, con la ropa que usamos, para mencionar unas pocas cosas. Y cada una de las decisiones emocionales al respecto termina afectando nuestro bolsillo.

Precisamente, si mi enfoque del dinero funciona es debido a las emociones. Abonar el mínimo requerido a las cuentas de tarjetas de crédito es encarar de frente el problema emocional. Estamos actuando en vez de estar reaccionando. Estamos poniendo las cuentas en el asiento trasero y diciendo: "¡Salgan de mi camino! ¡Tengo lugares y gente que visitar, cosas que hacer! Francamente, ¡ustedes me están estorbando! ¡Estoy cansado de que ustedes me detengan! Estoy cansado de que me depriman, colocándose en primer lugar y dejándome a mí por fuera, esperando. ¡Ustedes, cuentas, pueden acompañarme en el paseo porque sé que son parte de la vida, pero no serán ya quienes lo dirijan. Yo mando aquí y, a partir de ahora, seré yo quien conduzca!"

"Sí — dirá usted —, tal vez no sea una idea totalmente loca, pero ciertamente no es para mí". ¿Por qué hacemos esto? ¿Por qué descartamos, sin siquiera ensayarla, una idea fácil, divertida y probada?

¿Por qué? Porque no estamos familiarizados con ella. Cuando nos hallamos en territorio desconocido, empezamos a dudar, a cuestionar, a ponernos en guardia, a volvernos desafiantes y escépticos. Cuando en un seminario presento el tema de "abonar el mínimo", veo, siento y escucho fuertes reacciones en el salón. En un seminario, Carlos habló así: "Hay una tremenda desidia cuando hacemos las cosas de la manera acostumbrada. Nos acomodamos a las situaciones aunque no sean manejables".

Sobre eso no hay duda alguna. Hablemos de cómo nos acomodamos a lo habitual. Todos los meses, sin excepción, hacía un esfuerzo más para tratar de saldar las deudas, sólo para ver llegar las cuentas, al mes siguiente, más altas que nunca. Dave lo expresa muy bien: "Lo que he estado haciendo es seguro que no funciona. Pienso que, por lo menos, debiera darle a la idea de Carol una oportunidad".

Intente abonar el mínimo a sus cuentas de tarjetas de crédito durante los próximos seis meses, y aprenda cómo y por qué funciona tan bien. Quedará sorprendido y encantado al ver cuánta ayuda obtendrá para resistir la tentación de comprar con tarjeta de crédito. Cuando haya ensayado este método, podrá decidir usted mismo si le está funcionando bien.

La idea de "abonar el mínimo" es fundamental. Si decide ponerla en práctica, obtendrá beneficios increíbles. Ensáyela: se sentirá muuuuy contento de haberlo hecho.

LO QUE NO ME FUNCIONÓ

En primer lugar, permítame contarle lo que no funciona respecto a las cuentas. Luego, le mostraré lo que sí funciona y le daré las razones por las cuáles sí funciona. Finalmente, trataré de contestar todas las preguntas y objeciones a este sistema que usted pueda plantear.

Cada mes me sentaba a examinar las cuentas, y cada mes sucedía lo mismo. Tomaba el recibo de una tarjeta de crédito y miraba el saldo pendiente. Digamos que fuera de $800. Odiaba deber $800. Quería saldar la deuda. Mi mente empezaba a calcular cómo dedicar la mayor suma posible a deshacerme de esa deuda. Me decía a mí misma: "Si nos apretamos el cinturón y comemos solamente sopa y arroz, saldremos de esta deuda muy rápido". Luego giraba un cheque de $100, pensando: "¡Qué bueno! ¡Dentro de unos siete meses esta cuenta quedará saldada!" He aquí lo que me imaginaba que sucedería:

Cuenta de VISA	=	$800
Mi abono	=	100
Saldo pendiente	=	$700

Interiormente me alegraba y me decía: "¡Dentro de unos siete meses esta cuenta habrá desaparecido!" Iba a liquidar esa cuenta. ¿Iba a hacerlo, realmente? ¿En dónde fallaba mi plan? ¿Entonces por qué, diez años después, no sólo teníamos todavía la cuenta de VISA sino que, además, ahora debíamos más que antes? Porque:

1) Necesitábamos ese dinero. Éramos cuatro personas y vivíamos únicamente con el ingreso de un profesor. Acababa de girar un cheque de $100 a VISA que no compraba nada para ese mes. (Hablando de rechazo de la realidad...) Eran $100 que salían hoy por la puerta, para pagar algo comprado en el pasado. Necesitábamos el dinero para comida y gastos de la casa, y yo acababa de dárselo a una compañía de tarjetas de crédito.

2) ¡Seguíamos usando nuestras tarjetas de crédito! Como había tomado $100 y no había comprado "nada" con ellos, el día veinte o, con certeza, el día veinticinco del mes, estábamos sin dinero. Para comprar dentífrico, pilas, jabón, gasolina para el automóvil, teníamos que recurrir a las tarjetas de crédito para salir del paso. Puesto que el abono importante que estaba haciendo a la tarjeta me hacía sentir que la cuenta estaba disminuyendo, me era fácil sacar mi tarjeta y usarla, diciéndome: "Un par de débitos pequeños no harán daño". Mes tras mes, año tras año, seguí esta misma pauta. Permanecí dedicada a pagar las cuentas, y éstas continuaban creciendo. Sentirme deprimida a causa de nuestras deudas y de la falta de dinero se convirtió en un modo de vida.

El problema con mi enfoque "cancele las deudas tan rápido como pueda" era que, cuando llegaba la cuenta el mes siguiente, no valía $100 menos, como me había imaginado, sino que generalmente era incluso mayor que el mes anterior.

Siguiente mes: cuenta de VISA = $933.27

¡En lugar de que la cuenta disminuyera a $700, llegaba por más de $900! Mes tras mes, jugaba a este juego de tratar de liquidar las cuentas. Mientras tanto, el saldo de las cuentas crecía. Mi solución de pagar las cuentas afanosamente no funcionaba.

RESUMEN DE LO QUE NO FUNCIONA

Ésta era la pauta que yo seguía:

- ✦ Dedicaba a pagar las cuentas más dinero del que podíamos disponer.
- ✦ No guardaba nada en una cuenta de ahorros para emergencias.
- ✦ Pasadas dos o tres semanas del mes nos quedábamos sin dinero.
- ✦ Teníamos que utilizar las tarjetas de crédito para comprar desodorante, sobres, papel higiénico, etc., hasta llegar al próximo día de pago.
- ✦ Y así sucedió, mes tras mes, durante diez años... abonaba la mayor suma posible a las tarjetas, me quedaba sin dinero, y seguía comprando con tarjetas...

Este enfoque no funciona.

¡LO QUE SÍ FUNCIONA!

Abone la suma mínima requerida
(y no utilice tarjetas de crédito)

No tenía idea, en ese entonces, de que esta decisión iniciaría una increíble reacción en cadena que pondría dinero en el banco, me sacaría de deudas para siempre y me encaminaría hacia la realización de mis sueños.

En cada una de las cuentas de las tarjetas de crédito empecé a mirar el "pago mínimo requerido". Leía la muy pequeña, casi despreciable, suma sugerida, miraba el saldo pendiente y suspiraba. Temporalmente paralizada de susto, tenía que luchar con la idea de que esta cuenta no desaparecería nunca, luchar contra el impulso de girar un cheque grande, luchar contra el afán de entregar un dinero que necesitábamos para vivir hoy.

Amablemente, me recordaba a mí misma la verdad. Tener las cuentas pagadas *no* equivale a la felicidad. Tener control sobre mi dinero y tener un plan que haga realidad mis sueños y cumpla mis metas, sí equivale a la felicidad.

Entonces, me forzaba a girar un cheque por el mínimo requerido. Sí, me forzaba. Todos los meses tenía que luchar para sobreponerme a la vieja voz familiar que trataba de convencerme de que abonara más dinero a las cuentas de lo que podíamos permitirnos.

Por alguna razón, perdía la perspectiva recientemente adquirida cuando me disponía a pagar las cuentas. Se me olvidaban las sorpresas diarias, las emergencias imprevistas y nuestra falta de ahorros. Negaba el hecho de que necesitábamos cada centavo del sueldo sólo para pasar el mes. Mi mente, todavía aferrada a la ridícula noción de que no tener deudas equivale a la felicidad y a la satisfacción, trataba de obligarme a dedicar a pagar las cuentas el dinero que necesitábamos para comida y demás cosas imprescindibles. Mi nuevo yo no caía en la trampa. Abonaba el mínimo.

Ésta no era una elección fácil. Era nueva. No me era familiar. Pero la hice. En vez de sacar $100 de nuestra pequeña cuenta bancaria y enviarlos a visa, abonaba los $22 mínimos sugeridos. Al pagar sólo $22 en vez de $100, disponíamos de $78 más para limpiaparabrisas nuevos, jabón para la ropa, víveres. Lo mejor de todo era que había liberado dinero para pagarnos a nosotros mismos en primer lugar. Y además, con los $78 de más en la cuenta bancaria había una mayor probabilidad de no tener que recurrir a las tarjetas de crédito. (Como había estado abonando más del mínimo en varias cuentas, esta nueva actitud liberó una buena cantidad de dinero.)

Obviamente, la única manera de que abonar el mínimo funcione es dejando de utilizar las tarjetas de crédito. Inicialmente, mi ambicioso plan había consistido en un instantáneo y rápido propósito: no volver a utilizar nunca una tarjeta de crédito. Bueno, pudo haber sido una excelente idea en teoría, pero en la práctica la cuestión evidentemente no resultaba tan fácil.

Cada mes hacía cuanto podía para evitar recurrir a las tarjetas de crédito. Aunque esto nunca antes había funcionado, esta vez sí funcionó. ¿Por qué? Porque esta vez tenía incentivos y motivación. Esta vez estaba realmente dedicando dinero a realizar mis sueños y alcanzar mis metas, y así estaba ocurriendo. No estaba haciendo estos cambios porque "debía" (oyendo una voz exterior cargada de sentimiento de culpa); estaba decidiendo poner dinero en mis manos porque quería hacerlo (escuchando mi voz interior). Cuando el dinero se acababa, tenía que utilizar el crédito, pero lo hacía con mucho menor sentimiento de culpa. Ahora, me satisfacía saber que tenía más y más dinero en el banco y que estaba en el proceso de terminar con el ciclo de dependencia de las tarjetas de crédito. Estaba decidida a liberarme del sentimiento de desamparo que provenía de hallarme a merced de un "préstamo" de VISA o algún otro prestamista. Quería salir de la trampa de las tarjetas de crédito. Lo que resultaba nuevo y emocionante era que yo no quería usar las tarjetas de crédito. Lo que quería, lo que realmente quería, eran las opciones que tendría cuando tuviera dinero a mi nombre.

Quería la libertad y los sentimientos de control que provienen de disponer de dinero. Me volví cada vez más creativa y encontraba cada vez más opciones para mi dinero. Estaba decidida a que llegara el día en que no tuviera que utilizar tarjetas de crédito.

Abandonar el uso de las tarjetas de crédito es más fácil de decir que de hacer. Si usted está acostumbrado a gastar más de lo que gana (como lo estaba yo), entonces le va a tomar cierto tiempo y cierta cantidad de energía cambiar la tendencia. La clave del cambio reside en la consciencia de las opciones que tenemos. Fue sorprendente descubrir que muchas cosas que estaba comprando, encargando y haciendo se debían a un mero reflejo o costumbre y que, en realidad, no me producían satisfacción ni mejoraban mayormente la calidad de mi vida.

Pero, entonces, ¿qué hacemos respecto a las cosas que queremos pero que no tenemos cómo comprar? ¿Qué podemos hacer para no sentirnos privados de ellas? Podemos hacer lo que hacen mi amiga Janet y su esposo. Ellos dicen: "Pongámoslo en la lista. Sabemos que no podemos tener todo; por lo tanto, aquellas cosas que realmente queremos están en 'la lista', dentro de un orden de prioridades, pero no están eliminadas".

A medida que me concentré más y más en mis metas, tales como un viaje familiar a la casa de la bisabuela y a Disneylandia, empecé a fijarme más en qué gastaba el dinero. Llegaba el momento de renovar la suscripción a una revista y yo, cuidadosamente, me preguntaba si quería que ese dinero permaneciera en mi bolsillo para un viaje o una escapada nocturna sin sentimiento de culpa o si, realmente, quería la revista. Empecé a mirar cada compra como una opción. Con esa toma de consciencia crecieron mi energía y mi capacidad de actuar, cuando se trataba de escoger lo que realmente quería. Mis nuevas opciones .

terminaron por eliminar toda clase de cosas frívolas y dejaron mucho más dinero en el banco. Con un mayor saldo en la chequera, me acercaba más al fin de mes sin tener que recurrir al crédito hasta que, finalmente, no utilicé más las tarjetas.

Alan Cohen, en su libro *El dragón ya no vive aquí*, explica lo que su amigo llama el "diez por ciento mítico". Es el "diez por ciento más que, si lo tuviéramos, sabemos que nos satisfaría realmente... El único problema es que siempre es diez por ciento *más* de lo que tenemos, ¡no importa cuánto tengamos!" Piense en lo siguiente. ¿Qué posee usted ahora que ni siquiera estaba en el mercado hace unos años? ¿Un horno de microondas? ¿Una videograbadora? ¿Un tocadiscos para discos compactos? ¿Una videocámara? ¿Un computador portátil? La lista es interminable. Todos los días aparecen nuevos inventos e ideas. Si no estamos concentrados en lo que realmente queremos, antes de darnos cuenta ya habremos comprado la última prenda de moda o el más reciente objeto de entretenimiento. Entre tanto, el instrumento musical, las vacaciones o la pensión de retiro, que tanto hemos deseado toda la vida, quedan de lado porque el dinero se ha ido.

Cuando estamos persiguiendo activamente nuestros sueños, tenemos una razón para elegir más sabiamente, y así lo hacemos. Lo maravilloso es que tomamos decisiones más sabias en todos los campos. Es tanta la gente que me ha dicho: "¡Mi vida entera está cambiando! Especialmente la manera como gasto mi tiempo. Dedico más y más tiempo a hacer las cosas que me gustan".

Aunque pueda parecer que está atrapado en el crédito para siempre, manténgase firme. Abra los ojos a todas las opciones en cada momento del día. Rotule su caja de los sueños y ponga su dinero ahí. Una vez que usted empuja una roca desde el borde del despeñadero, no hay nada que la detenga; y, una vez que usted empiece, ¡no habrá quién lo detenga!

"Pero, pero, pero — dirá usted — ¿qué pasa con esos intereses que estoy pagando?"

En eso también pensaba yo todos esos años. Después de diez años de gastar todo el sueldo tratando de deshacerme de las cuentas para ahorrarme los elevados pagos de intereses, ¿sabe usted cuánto había ahorrado, cuánto dinero tenía en el banco? Cero. Nada. No había ahorrado un centavo con la actitud de "apresúrese a desembarazarse de la alta tasa de interés". Tampoco esta vez la teoría predicada por los expertos financieros encajaba en la vida real. No queda ningún dinero ahorrado a menos que efectivamente hagamos un ahorro. Dinero de verdad en nuestro poder (o en una cuenta de ahorros), eso sí es dinero ahorrado. (Si su compañía de tarjetas de crédito le está cobrando un interés demasiado elevado, haga algunas llamadas y traslade su cuenta a una compañía que cobre menos.)

Recuerde: lo que importa es lo que funciona. Si usted está aburrido de no tener dinero en el banco y cansado de que las cuentas lo mantengan deprimido, entonces haga algo al respecto. Empiece ahora a conservar el dinero menudo o a tomar un billete aquí y dos allá y a guardarlos... para usted.

Una noche en un seminario, mientras los participantes se dedicaban a combatir y cuestionar el concepto de "abone el mínimo", Dan nos contó lo que había hecho entre clase y clase: "Estaba allí sentado sintiendo lástima de mí mismo, pagando mis cuentas de fin de mes, pero sí aboné el mínimo en mis tarjetas de crédito. Me sentía bien y mal. Mal por las altas tasas de interés y mal por el sentimiento de que tendría esa cuenta para siempre".

Observe que Dan dijo que se sentía bien y mal, pero

prefirió referirse a lo que le era más familiar: el sentimiento negativo. Para ayudarnos a que los sentimientos positivos empiecen a sernos más familiares, demos una mirada a todos los efectos positivos de la decisión de Dan de abonar el mínimo. A continuación se encuentran unos pocos de los innumerables beneficios que provienen de abonar el mínimo a sus cuentas de tarjetas de crédito y a sus cuentas a plazos.

Diez poderosos beneficios por abonar el mínimo a las cuentas a plazos

1. **"Tener más dinero disponible para mí"** fue la respuesta de Dan cuando le pregunté qué lo hacía sentirse bien por decidirse a abonar el mínimo. Rotundamente. Ésta es la razón principal para abonar el mínimo a sus cuentas a plazos, a fin de tener más efectivo para sí mismo. Tener dinero significa tener opciones, y tener dinero es la única manera de salir de la trampa de las tarjetas de crédito.

2. **Estamos rompiendo el ciclo.** Estamos tomando la valiente decisión de volver la espalda a lo que nos parece cómodo y familiar y penetrando en el mundo oscuro y desconocido de "abonar el mínimo".

Admitámoslo o no, nos hallamos inconscientemente encerrados en nuestros patrones de comportamiento. Recuerdo a mi profesor de primero de bachillerato, el señor Beasley, haciéndonos tomar nota de que siempre nos ponemos el mismo zapato primero. Estaba segura de que él estaba equivocado. Alcé la mano y le dije que yo me ponía el zapato que estuviera más cerca. Sonrió y nos pidió que fuéramos a casa y lo comprobáramos nosotros mismos. ¡Caray! (¡Yo siempre me pongo el zapato izquierdo primero!) El hecho es que nuestros hábitos son inconscientes y arraigados. Incluso aunque no funcionen, los mantenemos porque nos proporcionan la comodidad de lo familiar.

Romper el ciclo de "tratar de pagar las deudas lo más rápido posible" es un paso fundamental. Estamos yendo en contra de la corriente. En contra de lo que dicen todos los expertos. En contra de lo que nuestros padres, nuestra pareja o nuestros amigos aconsejarían. ¡Sin ninguna duda, la primera vez, y cada vez, que usted hace la difícil elección de abonar el mínimo en sus cuentas de tarjetas de crédito, hay un motivo de celebración! (Le dimos a Dan un fuerte aplauso.)

Dan añadió: "Sólo quiero que sepan que en realidad traté de ser negativo. Todo el tiempo me decía: Esto no es para mí, porque debo más de lo que puedo pagar. Pero la parte positiva estaba ahí. Hice incluso una lista que dejé sobre mi escritorio y que decía: "Sé que puedo conseguir un seguro más barato para el automóvil, y apuesto a que puedo inventar algo para el seguro de salud y apuesto, también, a que puedo disminuir la tasa de interés de mi tarjeta de crédito, pasándome a otra entidad".

3. La energía positiva se crea por la elección positiva. La elección de abonar el mínimo es la elección de hacernos cargo de nuestro dinero y nuestro futuro. Nuestro primer paso crea esperanza, además de un sentimiento positivo y estimulante.

4. Estamos descubriendo nuevas opciones. Cuando vemos nuevas opciones en un aspecto de nuestra vida, esto se transfiere a todas las demás opciones, como en el efecto de las fichas de dominó.

5. La elección positiva de hacernos cargo de nuestro dinero elimina en gran parte la posibilidad de sentirnos mal respecto a las cuentas. "Toda mi vida he tenido la impresión de que, en primer lugar, las cuentas no son divertidas de pagar y de que ir a trabajar tampoco es divertido — comentó Sharon —. He crecido con el mito que supone que la vida no es divertida, que si duele es mejor y que sentirse mal es lo debido. Empecé a recordar algunas de las cosas que mis padres hacían con su dinero cuando era niña. Mi única fuente de aprendizaje fue lo que ellos me dijeron o lo que no me dijeron".

Éste es el momento perfecto para reexaminar lo que hemos estado haciendo todos estos años y, tal vez, por primera vez en la vida, establecer nuestra propia visión acerca del dinero y las cuentas. En el momento en que nos paguemos a nosotros mismos primero, habremos inyectado alegría al pago de las cuentas. De pronto, hay una razón positiva y estimulante para ir a trabajar, porque trabajar equivale a ganar dinero, y dinero equivale a realizar los sueños.

6. Estamos tomando el control. Cuando somos nosotros los dueños de la batuta en nuestra vida, nos sentimos mejor con nosotros mismos y nuestras perspectivas son más luminosas. Cuando dejamos de tirar la bola en la cancha de otra persona, y nos decimos: "Me ocuparé de mí mismo", y mantenemos la bola en nuestra cancha, creamos sentimientos de poder, independencia y orgullo de nosotros mismos. "Gran parte de nuestra vida permanecemos esperando al caballero de la brillante armadura — dijo Carlos—. Con esta visión acerca del dinero, estamos resolviendo nuestros propios problemas a través de opciones que nosotros mismos nos presentamos. El concepto de ir en pos de nuestro propio rescate es bien diferente".

Sharon dijo: "Si me ocupo de mí misma, tengo la consciencia y la energía para ocuparme de los demás".

7. Abonar el mínimo nos disuade de utilizar las tarjetas de crédito. Oscar lo expresó muy bien: "Si usted está haciendo abonos mínimos, esto lo disuadirá de seguir utilizando la tarjeta de crédito. Usted sabe que, si continúa utilizándola, mantendrá la cuenta el resto de su vida. Cuando estaba abonando sumas mayores a la cuenta, se sentía más libre de continuar utilizando la tarjeta porque pensaba que estaba saldando la cuenta".

8. Hemos desviado nuestra energía hacia el presente. Cuando dejamos de recurrir al crédito y pagamos el mínimo en nuestras cuentas a plazos, estamos viviendo en el presente. Tenemos energía renovada que podemos emplear para realizar nuestros sueños.

9. Hemos eliminado la culpabilidad. ¿Cómo? ¿Cero culpabilidad? ¿Ningún sentimiento desproporcionado de obligación? ¿Ninguna obsesión con las cuentas? ¡Qué bueno! Bienvenido este sentimiento de libertad.

10. Hemos establecido nuevas prioridades con base en lo que realmente valoramos. Las cuentas a plazos no merecen el importante lugar que les hemos asignado durante todos estos años. No merecen nuestros sacrificios ni, si es el caso, los de toda la familia. No merecen arruinar la calidad de nuestra vida de hoy porque pensamos que podremos sentirnos mejor cuando se hayan ido. El hecho es que pagar una cuenta sólo trae un momento de alivio. Cuando menos se espera, el automóvil necesita reparación, el alquiler sube o los niños necesitan zapatos nuevos. Las cuentas están aquí para quedarse. Al ponerlas en perspectiva, podemos avanzar dedicando nuestros esfuerzos al logro de nuestras metas.

Compruébelo: son diez beneficios para nuestra vida como resultado de una elección, una acción, una decisión: la decisión de abonar el mínimo en nuestras cuentas de tarjetas de crédito.

En uno de nuestros seminarios, Robert preguntó: "¿Tiene usted algún diagrama o algo con lo cual se pueda explicar esto? Fui a casa y traté de explicárselo a mi esposa y ella no se convence. Mira la tasa de interés y el tamaño de la cuenta y dice que no tiene sentido abonar el mínimo". "Ella tiene razón — le dije a Robert —, no lo tiene. Sería como tratar de explicar el estar enamorado. Estamos buscando una simplicidad lógica, como la de $2 + 2 = 4$, en un asunto extremadamente complejo y con gran contenido emocional: el manejo del dinero". (Después, la esposa de Robert escuchó unas grabaciones del seminario. A los tres meses, llegó esta nota: "Hemos establecido las cuentas de ahorro y parece que el procedimiento está funcionando. Anne se siente como pez en el agua. Le agradezco mucho".)

Algunos pensamientos para aquéllos que "comparten" el dinero y los gastos. Cada vez que hay dos personas, hay dos filosofías diferentes o dos conjuntos distintos de comportamientos aprendidos sobre el manejo del dinero. Usted puede preguntarse cómo es posible que las cosas cambien, si su pareja no lee este libro o decide rechazar el concepto en su totalidad. La respuesta es: sí es posible. Cuando estaba casada, mi esposo nunca aceptó este enfoque del manejo del dinero. A lo largo de los años, otras personas me han contado acerca de maneras creativas e inteligentes que se han inventado para conseguir dinero para sus sueños, incluso frente a una pareja reacia o dominante.

Si usted está tratando de arreglárselas con un cónyuge

que tiende a gastar todo el dinero disponible, podría ahorrar en una cuenta para jubilación. Es probable que su cónyuge no se atreva a sacar dinero de una cuenta para jubilación. Una de las razones es que hay una penalización por retiros prematuros. En mi caso, lo que hizo la diferencia fue que desvié la energía que dedicaba a tratar de controlar el gasto de mi cónyuge hacia la invención de formas de poner dinero en el banco. No desista sólo porque su cónyuge no esté de acuerdo. Sea creativo y encuentre la manera de empezar a ahorrar.

Dan se preguntaba: "¿Pero no es peor ver a su cónyuge aumentando cada vez más las cuentas de las tarjetas?" Eso no tuvo nada que ver conmigo. Cuando mi energía estaba comprometida en el inútil intento de controlar el gasto de mi compañero, no estaba sucediendo nada positivo. Una vez que empecé a ahorrar dinero, tuve un sentimiento de satisfacción y de mayor seguridad al saber que, por fin, teníamos ahorros que estaban creciendo. En los diez años siguientes, nuestra familia de cuatro miembros, que vivía con un solo ingreso, acumuló más de $30 000 en ahorros exentos de impuestos. (Los depósitos mensuales, más el interés compuesto, hicieron que el dinero creciera rápidamente. En el siguiente capítulo, hablaremos sobre el poder de una suma global de dinero. En el momento en que usted tiene $30 000 ahorrados, incluso si no hace más depósitos en la cuenta, al interés que le pagan la cuenta continuará creciendo cada año ¡por sí sola!)

"Estoy empezando a comprender —dijo Robert—. Uno puede pagar las cuentas y, sin embargo, llevar una vida en la cual no se es esclavo de la chequera. Y eso no quiere decir que uno esté dedicado a despilfarrar el dinero ni que sea un irresponsable. No sé por qué razón siento que si no soy un esclavo y no me duele terriblemente la espalda, me estoy portando como un irresponsable".

Exactamente. ¿No fue eso lo que sucedió cuando expuse la idea de abonar el mínimo? "¡Pero eso es tan irresponsable!" De nuevo, la mente sacó precipitadamente una conclusión errada, porque se le olvidó tener en cuenta nuestras emociones.

Entrevisté a Kate cerca de un año después que asistió a mi seminario sobre el dinero. Observe cómo la solución, a largo plazo, de abonar el mínimo ayudó a corto plazo a Kate y a su compañero. Aunque no se hallan ni siquiera cerca de no tener deudas, están viviendo y gozando más de la vida y sienten que controlan la situación. Kate: "Sabe usted que lo que nos contó resultó una verdad para nosotros. Uno de nosotros estaba estudiando y el otro no. Cualquiera que fuese nuestra situación financiera, parecía que nunca teníamos lo suficiente. ¡Y, de pronto, lo tuvimos! Una vez que empezamos a ahorrar, nos dimos cuenta de que teníamos suficiente para pagar las cuentas y para ahorrar; algo que nunca antes pensamos que fuera posible.

"Hemos aprendido a vivir con el dinero que tenemos, aunque estamos bastante endeudados: cerca de $20 000 en tarjetas de crédito. Psicológicamente, lo que nos ayuda es que tenemos varias cuentas de ahorros, cada una asignada a cosas diferentes. Una cuenta es para tener con qué sostenernos por lo menos tres meses; ésa, la estamos iniciando. Tenemos otra que es para ahorros e inversiones a largo plazo. La otra es para comprar una casa, porque creo que realmente queremos hacer eso. Y la otra es para el automóvil... para todo lo relacionado con él".

Le pregunté a Kate: "Con una deuda tan grande, ¿por qué no se siente abrumada y deprimida?"

"Creo que la razón principal es que tenemos dinero ahorrado. Estamos abonando la menor cantidad posible a las cuentas. (En esto, tuvimos que llegar a un compromiso, porque yo quería pagar el mínimo absoluto y mi compañero no; por lo tanto, acordamos una suma intermedia.) La otra diferencia es que cuando salí de su seminario empecé a ocuparme en otras cosas. Por ejemplo, cambié algunas de nuestras tarjetas de crédito por otras de compañías con menores tasas de interés sobre saldos, porque algunas eran realmente altas: una cobraba diecinueve y la otra veintiuno por ciento de interés.

"Antes acostumbrábamos pagar nuestras cuentas sin mirar el saldo pendiente, porque era aterrador, especialmente si habíamos utilizado las tarjetas, pues había crecido nuevamente. En cambio ahora, cuando pagamos las cuentas, ¡sabemos que están desapareciendo! Ahora sé exactamente cuánto debemos; antes simplemente no quería enterarme. Ya descarté el rechazo al respecto, pero además siento que ahora tengo una herramienta para salir de las deudas. Hoy hemos llegado a un acuerdo y seguimos ciertas pautas, a la vez que vemos crecer nuestros ahorros, y eso nos emociona. Compramos un libro de contabilidad y un libro mayor, y hacemos el seguimiento del crecimiento de nuestros ahorros, y eso es realmente entretenido. Depositamos $20 extras aquí y allá, cada vez que podemos".

Abonar el mínimo funciona. Aquéllos que decidan tomar el volante, mandar las cuentas al asiento de atrás e invitar a sus sueños y metas a sentarse adelante, experimentarán un cambio total en su vida.

¿Le suena conocida la siguiente situación? Cuando Leslie vino a pedir ayuda, su mayor preocupación era el saldo de $7 000 en su cuenta de MasterCard. Era difícil lograr que ella hablara acerca de su vida y sus metas personales porque el peso de las cuentas abrumaba su mente. Finalmente logramos persuadirla a que hablara de sí misma. Expresó que estaba satisfecha con llevar una vida tranquila y rutinaria que consistía en trabajar y salir con amigos a cine o a restaurantes de vez en cuando. Aunque era obvio que Leslie era sincera y estaba hablando abiertamente sobre sí misma, tuve la impresión de que había algo más y entonces, delicadamente, formulé otras preguntas para ver a dónde conducían.

A medida que hablaba, surgió una sonrisa en sus labios. Se avivó cuando comprendió cuánto deseaba pasear con sus amigos los fines de semana. Pero antes que llegara a emocionarse de verdad, se acordó de su cuenta de MasterCard y dijo: "De ninguna manera puedo relajarme y divertirme mientras no haya salido de la cuenta de MasterCard. Estaría actuando en forma muy irresponsable".

Cuando le sugerí que enumerara las metas que podrían constituir su plan monetario, su lista fue:

Cuenta para emergencias
Emergencias futuras (desempleo, cambio de residencia)
Cuenta para paseos de fin de semana con amigos
Cuenta para el automóvil
Cuenta para Navidad

Al examinar la lista, le señalé que cuatro de las cinco cuentas estaban orientadas hacia el deber y que el plan no incluía mayor diversión ni motivación para enfrentar la vida día a día. Le pregunté si existía alguna posibilidad de que ella cambiara el plan que acaba de establecer, si no tuviera la cuenta de MasterCard.

Leslie lo pensó por largo rato. "Supongo que sí — dijo finalmente —. Si no debiera $7 000 en mi tarjeta de crédito, entonces tendría en cuenta el viaje a Europa que siempre he soñado".

¡Otra sorpresa! Había empezado la sesión diciendo que estaba satisfecha con su vida tal como era y que su único problema era la gran deuda en su tarjeta de crédito. No era consciente de que lo que realmente quería era pasear los fines de semana con sus amigos y planear un viaje a Europa. La verdad estaba velada por las cuentas.

Después de todos estos años, sigo sorprendida del dominio que pueden ejercer las cuentas. Cuando le pregunté a Leslie si su plan cambiaría si no tuviera la deuda de MasterCard, francamente esperaba que contestara inmediatamente: "Claro que no". Todavía quedo asombrada cuando veo el poder enceguecedor de las deudas. Me pregunto si algo de este estilo fue lo que ocurrió en la mente de Leslie:

"Veamos. ¿Tendría yo alguna otra meta si no tuviera la deuda de MasterCard?

"¡Pero sí tengo una deuda de MasterCard! No sólo tengo una deuda de MasterCard, sino que es monstruosa. ¡Debo más de $7 000!"

Pausa. Vuelve a la pregunta.

"¿Qué fue lo que ella me preguntó? ¿Que si tendría yo alguna otra meta si no tuviera la deuda de MasterCard?"

"¿Cómo puedo contestar esa pregunta? Yo sí tengo una deuda de MasterCard".

Pausa.

"Veamos. ¿Estaría yo persiguiendo otros sueños o metas si no estuviera tan agobiada por mis deudas? ¡Oh! Un momento. Francia, Italia, Suiza. ¡Casi lo olvido!"

¿Le han impedido las cuentas saber qué es lo que más quiere? ¿Está usted esperando al comienzo del puente, diciéndose a sí mismo: "No puedo atravesarlo mientras no estén pagadas las cuentas"?

El punto fundamental en el caso de Leslie es que su vida no tenía un aliciente. Su razón para saltar de la cama y agarrar la vida por los cuernos se había desvanecido.

Sospecho que estaba contagiada del mismo síndrome "pobre de mí" que yo había sufrido, y que había estado usando la misma droga destructiva (las tarjetas de crédito) para tratar de curar su enfermedad. Cuando no tenemos una dosis estable de diversión y previsión constructiva en nuestra vida, un día se parece bastante al anterior. Entonces, ¿cómo enfrentamos la desagradable tarea? Nos damos gusto. Sacamos la tarjeta de crédito y aliviamos nuestro aburrimiento con un café exprés, ropa nueva o una cena con un amigo.

¿Cómo llegó la cuenta de Leslie a $7 000? ¿Cómo llegó a tal o cual cantidad la suya o la mía? Para la mayoría de nosotros fue creciendo por nuestro afán de saldarla.

LA OPCIÓN QUE TENÍA TOM QUE LA MAYORÍA DE NOSOTROS NO TENEMOS

Un día contesté una llamada telefónica en mi oficina y escuché esta sugestiva historia.

"¡Hola! Mi nombre es Tom y asistí a su seminario hace más o menos año y medio. Desde entonces he ahorrado más de $13 000 y necesito ayuda para tomar una importante decisión". (¿Había ahorrado $13 000 en año y medio? ¡Conquistó mi atención!) Tom había encontrado una propiedad para la venta, a la orilla de un lago. No estaba seguro si debía comprarla y quería conversar sobre esto.

Como usted se imaginará, yo estaba impaciente por oír el resto de la historia y, por lo tanto, le pregunté cuál era su situación financiera antes de asistir al seminario. "Cuando asistí a su curso, no tenía dinero ahorrado y, en cambio, debía varios miles en tarjetas de crédito. Inicié mi plan de ahorros con cuatro cuentas, con $5 en cada una, y, un mes después, abrí dos más, también con $5. Empecé lentamente. Me sentí bien cuando abrí esas cuentas, porque estaba organizando mi dinero. Usted sabe que tuve una cuenta corriente y una de ahorros durante quince o veinte años, y pasaba el dinero de la de ahorros a la corriente todo el tiempo. Siempre vivía, mes tras mes, arreglándomelas como pudiera. Hice eso durante mucho tiempo. Fue agradable cuando abrí esas cuentas.

"Entonces empecé a girar cheques de $20 y $30 y a depositarlos en una u otra cuenta. Obtuve unas bonificaciones en el trabajo y las deposité en mis cuentas. A los seis meses de haber terminado el seminario, obtuve una bonificación de diez por ciento y la ahorré. Por entonces comprendí que lo que realmente quería era renunciar a mi puesto; así lo hice y conseguí otro trabajo. Ahora, en vez de pagar grandes cantidades de dinero a todos esos acreedores (usted sabe: VISA y todos los demás), ¡me pago a mí mismo!

"Ahora mismo estoy ahorrando $800 mensuales. Vea usted: estoy depositando $400 en esas cuatro cuentas, y eso es para viajes, educación, emergencias inmediatas y emergencias futuras. También ahorro $400 para la casa".

Interrumpí para preguntarle a Tom cómo se sentía.

"Es agradable. Verdaderamente agradable. Quiero decir: es una sensación realmente agradable tener todo ese dinero guardado en donde quiero para las cosas que realmente deseo".

Tom explicó que el dueño de la propiedad que estaba pensando comprar pedía $10 000 de cuota inicial y $900 mensuales durante cuatro años. Las matemáticas eran fáciles. Después de dar la cuota inicial, a Tom le quedarían todavía $3 000. Puesto que ya estaba dedicando $800 a los ahorros cada mes, le era posible pagar la mensualidad de $900. Pero, como siempre, ésta era primordialmente una decisión emocional. Hablamos por teléfono sobre sus valores y qué le traería mayor satisfacción a largo plazo. Al final, decidió que no era en eso en lo que quería invertir su dinero y su energía en ese momento de su vida.

Después de nuestra conversación vi, más claro que nunca, la diferencia que hay entre tener dinero en el bolsillo y tenerlo en una bolsa de tarjetas de crédito. El dinero de Tom le daba el poder de elegir. Podía jugar con la idea de comprar o no comprar la propiedad a la orilla de un lago, mientras que la mayoría de la gente habría pasado de largo ante el letrero "Se vende", porque no tenía la opción de comprarla. Todas las tarjetas de crédito del mundo no la habrían comprado. Tom, sin embargo, tenía la opción, porque tenía dinero.

PREGUNTAS Y OBJECIONES REFERENTES AL CONCEPTO DEL ABONO "MÍNIMO"

✦ **"Pero ¿qué sucede con todo el interés que estoy pagando?"** Recuerde que no *ahorramos* realmente el dinero del interés cuando pagamos nuestras cuentas rápidamente. Para realmente ahorrar ese dinero tendríamos que esconderlo en una media o ponerlo en una cuenta de ahorros. Nuestro problema real no es el interés que estamos pagando; es no tener dinero en nuestras manos.

Una buena noticia. Cuando empezamos a pagarnos a nosotros mismos, y también a todos los demás, nuestro dinero, por fin, estará ganando intereses. Por lo tanto, aunque estemos pagando intereses altos a nuestras tarjetas de crédito, estamos empezando a compensarlos con el dinero que estamos ahorrando. Por ejemplo, si nuestro dinero ahorrado está devengando 3% de interés y estamos pagando 12%

a las tarjetas de crédito, no sólo estamos adquiriendo el poder que se deriva de tener dinero, sino que además habremos reducido nuestros gastos en intereses a 9%.

✦ **"Pero tendré esta cuenta para siempre".** No es cierto. Nuevamente nuestra mente, entrándole el pánico ante esta nueva y desconocida forma de enfocar la deuda de las tarjetas de crédito, saca apresuradamente una conclusión exagerada: "Tendré esta cuenta para siempre". Esta información desencadena la desesperación, el apremio y otros numerosos sentimientos. El hecho es que por el camino elegimos comprar con tarjetas de crédito cosas que no nos podíamos permitir, y ahora es tiempo de encontrar una manera eficaz de manejar la situación a la cual nos hallamos abocados. Es tiempo de reprogramar la mente con información nueva. Si dejamos de utilizar las tarjetas de crédito y abonamos el mínimo requerido cada mes, sí desaparecerán. "Inicialmente, la idea de abonar el mínimo sonaba estúpida — dijo Carl —. Pero luego comprendí que ello me dejaba más dinero para enfrentar los gastos del mes, y entonces no tendría que recurrir más al crédito. Se siente estupendo estar sin deudas".

✦ **"Si obtengo un aumento o tengo algo de dinero extra, ¿no debería dedicar ese dinero a saldar las cuentas?"** Recuerde solamente que, cada vez que queremos abonar dinero extra a las deudas, quedamos atrapados. La pregunta que debemos hacernos es siempre la misma: "¿Cuánto dinero tengo?" Antes de pensar en deshacernos de nuestro dinero duramente devengado, debemos detenernos y preguntarnos cuánto tenemos disponible. "¿Hay dinero suficiente para las sorpresas de la vida diaria, tales como reparaciones del automóvil, un daño en el equipo de sonido, dinero para un acto especial en la escuela de los niños o, tal vez, una cuenta del dentista o del médico? ¿Hay suficiente dinero en mi cuenta para emergencias futuras (lo cual se explica en el capítulo 6) en caso de accidente o de desempleo?" ¿Y de nuestros sueños qué? ¿Estamos experimentando el entusiasmo y la expectativa de hacerlos realidad? ¿Cuánto tiempo han estado en suspenso? Cuando el amigo y compañero de clase de mi hijo de catorce años murió el año pasado, recordamos una vez más que todo lo que tenemos es el presente y que cada momento es precioso. Pongamos las cuentas a hervir a fuego lento, no la vida.

✦ "¿Qué pasa si cada mes pago fielmente el saldo de mis tarjetas de crédito?" Nuevamente, no hay bien o mal. Lo que estamos buscando es una forma de operar que sea profundamente satisfactoria y nos dé una fuerte sensación de control sobre nuestra vida. Lo que ocurrió en mi caso es que durante un par de años mi marido y yo tuvimos dos ingresos, no teníamos hijos y pagábamos un alquiler de $95 al mes. Cada mes hacíamos compras con tarjetas de crédito por altas sumas de dinero, y cada mes las pagábamos sin dificultad. Teníamos la costumbre de utilizar el dinero de hoy para pagar las compras del mes anterior.

Nuestra vida cambió cuando nació nuestro primer hijo. Compramos una casa y empezamos a vivir con un solo ingreso. Lo que no cambió fue nuestra costumbre de comprar a crédito. Ahora, cuando llegaban las cuentas de las tarjetas, no había suficiente dinero para pagarlas. Continuamos con nuestro hábito de comprar a crédito y nuestra deuda empezó a crecer. ¿Es posible que, con unas pocas emergencias o un cambio en su estilo de vida, usted tampoco pueda pagar sus cuentas de las tarjetas de crédito? Y, además, ¿queremos utilizar el dinero de hoy para pagar algo que compramos en el pasado?

✦ **"Pero yo quiero saldar todas mis cuentas para poder empezar una nueva vida".** Tenga cuidado. Demasiado a menudo, cuando tenemos trabajo importante que realizar, ¿qué hacemos? Gastamos una hora organizando, contestando notas de amigos y, de pronto, se hace tarde, tenemos sueño y nos vamos a la cama. ¿El problema? No podemos dormir. En vez de hacer lo que necesitábamos hacer (escribir la carta importante o pagar las cuentas) nos engañamos a nosotros mismos y limpiamos el escritorio.

Nunca olvidaré lo que dijo Elaine en el primer seminario que realicé: "¿Sabe usted? Podría vender unas acciones y saldar mis cuentas a plazos, pero no lo haré. Eso sería un escape a través de una fácil solución, y no aprendería mi lección. Me tomó mucho tiempo acumular toda esa deuda. Realmente quiero tener esa cuenta mensual como recordatorio de la trampa en la que no quiero volver a caer".

✦ **"Usted sigue hablando de la importancia de sentirse bien. Bueno, ¡yo me siento bien y tengo grandes satisfacciones cuando las #!@% cuentas salen de mi cabeza!"** De nuevo, necesitamos volver a pensar con objetividad. A menudo, cuando miramos una cuenta de tarjeta de crédito, la vida se detiene por un instante y lo único que vemos es el saldo pendiente. Con esa suma como único punto de atracción, nos vemos atrapados por ella como por un imán. No podemos pensar en otra cosa que en saldarla. El poder de las deudas contraídas con tarjetas de crédito es enorme. Perdemos toda perspectiva. Lynn tenía una deuda con tarjeta de crédito cuyo monto ascendía a sólo $85. Nos contó que realmente quería pagarla toda, pero que no lo hizo porque le dio miedo llegar a clase y admitir que había pagado más del mínimo. "Mientras luchaba con esa decisión, caí en la cuenta de que sólo faltaban seis semanas para la Navidad y no tenía ningún dinero ahorrado".

Levántese de su silla pagacuentas y dé un paseo. Recuérdese que la vida tiene un panorama más amplio. ¿Se siente tentado a dar dinero a sus cuentas a plazos, dinero que necesita para sus gastos y emergencias?

✦ **"Pero no creo que pueda sentir que controlo la situación sin que mis tarjetas de crédito estén saldadas".** Melissa escribió: "Me siento más aliviada y más aligerada de lo que nunca creí posible. Siempre pensé que debería estar sin deudas para sentir que controlaba la situación. Cuando giraba un cheque de $15 a la compañía de tarjetas de crédito, sonreía para mis adentros. Siempre me sentí muy infantil; ahora me siento de la edad que tengo".

Trate de hacer lo siguiente. Imagínese que tiene varios millones que son suyos. Tome nota de lo seguro que se siente. Ya no tiene que ir a trabajar, y las cosas que siempre quiso tener y hacer son posibles. Ahora, con ese dinero en su poder, piense en sus cuentas. ¿Qué ocurrió con la tensión y el sentimiento de urgencia para pagarlas? Aunque el ejemplo es extremo, ayuda a crearnos una perspectiva. En primer lugar, debemos pagarnos a nosotros mismos y tener algún dinero en nuestro poder. Una vez que tenemos dinero, las cuentas pierden su poder: la urgencia ha desaparecido.

✦ **"¿Qué hay de malo en llevar conmigo las tarjetas de crédito, si no las utilizo?"** No se trata de que algo sea "bueno" o "malo"; se trata de que funcione. Sólo usted puede saber si es capaz de manejar la tenencia de tarjetas de crédito. La clave está en no engañarnos más y encontrar una solución que funcione para nosotros. Casi todos nuestros obstáculos nos los pusimos nosotros mismos. Es hora, para cada uno de nosotros, de mirarnos al espejo y decir la verdad. ¿Puedo llevar conmigo tarjetas de crédito y no utilizarlas? El punto es hacer lo que se requiere que hagamos para estar seguros de que tendremos éxito en el logro de nuestras metas. Para algunos eso significa no tener ni llevar consigo tarjetas de crédito.

✦ **"Pero ¿qué pasa si dedico sólo algo extra a las cuentas cada mes?"** ¿Darle un poco más de dinero a *quién*? Si estamos tan ansiosos de desembarazarnos de nuestro dinero duramente trabajado, ¡por qué no pagarnos algo extra a nosotros mismos! Y, por otra parte, ¿es ése, realmente, dinero "extra"? ¿Dinero que no se necesita ni se necesitará para nada?

¿Cómo ahorró Tom $13 000 en año y medio? Se pagó a sí mismo las pequeñas cantidades extras, no a las cuentas. ¿Por qué nos apresuramos a entregar nuestro dinero? Conservémoslo. Conservémoslo para nosotros mismos. Conservémoslo para nuestros sueños, nuestras emergencias, nuestros hijos, nuestra seguridad social y nuestra jubilación. He aquí las preguntas que siempre debe hacerse a usted mismo cuando sienta la urgencia de abonar dinero extra a las cuentas: "¿Tengo ahorrado el salario de seis meses? ¿Tengo dinero suficiente para costear no sólo una sino todas las emergencias? ¿Se están realizando mis sueños?" Cuando podamos contestar afirmativamente cada pregunta, *entonces* si hay dinero extra, podemos decidir si queremos destinarlo a las cuentas.

Si usted está tentado de abonar más del mínimo, *siempre, siempre, siempre* pregúntese: "¿Cuánto tengo ahorrado?" Si mañana el automóvil necesita una nueva caja de cambios, ¿hay dinero con qué pagarla?" "Si la nevera se daña, ¿hay dinero con qué mandarla reparar? Si estoy enfermo y no puedo trabajar durante los próximos tres meses, ¿hay dinero disponible para cubrir mis necesidades?"

La pregunta no es: "¿Puedo pagar más del mínimo?" La pregunta clave es: "¿Cuánto tengo ahorrado?" Recuerde siempre que el dinero es una cuestión *emocional*. Con tanto asesor financiero que anda por ahí, ¿por qué no somos todos maestros en el manejo de nuestro dinero? Porque manejar el dinero no es cuestión de números. No es cuestión de no tener deudas ni tampoco de tener ahorros. Manejar el dinero es, ante todo, centrarnos en nuestros valores. Es manejar lo que sentimos. Es depender de la motivación. Manejar el dinero implica estar, permanentemente, separando lo no importante de lo que realmente lo es. Es darnos un motivo para saltar de la cama.

Un hecho: Si usted no hace uso de las tarjetas de crédito y abona el mínimo requerido cada mes, esas cuentas desaparecerán. Garantizado.

Un hecho: Dejar de poner la mira en las cuentas a plazos para dirigirla hacia lo que realmente nos interesa en la vida, funciona. Miles de personas han elegido hacer esto, aunque, probablemente, ninguna de ellas creyó en este modo de actuar cuando oyó hablar de él por primera vez.

PAGAR TODAS LAS CUENTAS AL MISMO TIEMPO CADA MES

Pagar todas las cuentas al mismo tiempo cada mes es un recurso formidable; aquéllos que hagan el esfuerzo de aprender cómo hacerlo, obtendrán grandes recompensas.

Uno de los mejores regalos que una empresa puede hacerles a sus empleados es pagarles una vez al mes.

Usted debe estar diciendo:

"De ninguna manera puedo pagar todas mis cuentas al mismo tiempo, porque me pagan semanalmente".

"Me pagan por comisión y el monto de mis cheques varía".

"Estoy en un negocio en el cual hay meses en que recibo cheques grandes y meses en que no recibo prácticamente nada".

"Mis cuentas llegan en distintos días del mes. Esto no funcionará".

"Pago las cuentas a medida que van llegando. No soporto tenerlas pendientes".

"No puedo". Casi siempre usamos las palabras "no puedo", cuando lo que realmente significan es "no quiero". Es comprensible que no queramos pagar las cuentas al mismo tiempo cada mes porque, hasta ahora, probablemente nos ha parecido imposible.

Pagar las cuentas al mismo tiempo cada mes es como esperar un avión para ir a visitar al mejor amigo a miles de kilómetros de distancia en vez de hacer el viaje ahora mismo en una carreta. En vez de enfrentar el engorro del correo todos los días y estar haciendo maromas con el dinero a lo largo del mes, se despacha todo en un solo momento. Cuando usted se ocupa de todos los asuntos de dinero una sola vez al mes, puede tranquilizarse y relajarse: usted controla la situación. Se ha pagado a usted mismo primero, asignándole dinero a sus metas, y ha pagado sus cuentas (el mínimo en sus deudas a plazos). Como aprenderá en el capítulo 6, sentirá la emoción de ver crecer su dinero a medida que deposita cada mes una suma para sus metas y registra el monto de sus ahorros en la hoja del plan maestro monetario (páginas 194-195). Cuando haya aprendido cómo, comprenderá por qué la gente me dice: "¡Carol, nunca lo hubiera creído, pero pagar las cuentas es, en verdad, divertido! Realmente me llena de ilusión pagarme a mí mismo y ver que mis metas se vuelven realidad, y me encanta ver cómo las deudas a plazos van disminuyendo poco a poco. Todo está bajo control y sólo me toma unas horas una vez al mes".

Básicamente, hay dos maneras de pagar las cuentas una sola vez al mes. El método que usted escoja dependerá de cómo y cuándo le pagan

Primero, me dirigiré a aquéllos que reciben regularmente un salario cuyo monto mensual es previsible. Luego analizaré el método para aquéllos que reciben comisiones, son independientes, trabajan en empleos temporales o, por uno u otro motivo, reciben una cantidad variable de dinero cada mes.

Método 1: Si usted recibe una cantidad previsible cada mes: Empiece por reunir los datos. Totalice los ingresos que recibe en un mes cualquiera. Por ejemplo:

Primera quincena	=	$900
Segunda quincena	=	$900
Ingreso mensual total	=	$1 800

Luego, anote su ingreso total del mes en la parte superior de una hoja y reste cada cuenta en orden de prioridades: primero, sus metas; luego, el alquiler, etc., situando las deudas a plazos en donde corresponde, al final de la lista.

Ingreso total del mes	=	$1 800.00
Mis metas	=	32.00
Arriendo/hipoteca	=	650.00
Salud/médico/dentista	=	129.00
Calefacción	=	70.00
Electricidad	=	52.00
Agua/alcantarillado/basura	=	55.00
Seguro del automóvil	=	70.00
Teléfono	=	48.00
MasterCard (mínimo)	=	62.00
VISA (mínimo)	=	38.00
Tarjeta de crédito almacén de deptos. (mínimo)	=	41.00
Saldo	=	$553.00

Los $553 son la cantidad de dinero disponible para todo el mes (para comida, ropa, provisiones...). Es un presupuesto automático. Al asentar el ingreso total del mes y restarle todos los abonos a las cuentas, sabemos exactamente cuánto dinero queda para todo el mes. Hemos anulado la ansiedad producida por el juego mental que nos engaña al decirnos: "No se preocupe; otro cheque llegará en un par de días". Lo que vemos es lo que tenemos. La alimentación, las pilas, la gasolina, los gastos de cumpleaños, la ropa, el champú, la comida del perro, las mentas para el aliento, en fin, lo que usted quiera, tendrán que provenir de la cantidad que quede, porque no habrá más dinero hasta el mes siguiente.

Cuando hagamos esto, lograremos una verdadera sensación de alivio y de que controlamos la situación. Se acabaron las locuras. Se acabaron los juegos. Lo que tenemos es esto: hemos producido X cantidad de dinero, y de ella ha salido X cantidad para pagar las cuentas. El saldo constituye el límite automático de nuestros gastos hasta fin de mes.

Qué hacer si todas las cuentas no llegan en la misma semana

Hayan llegado o no las cuentas, cada mes, más o menos en la misma fecha, siéntese chequera en mano. Usted sabe cuáles son sus cuentas normales y sabe, aproximadamente, lo que debe. Anote el total de ingresos del mes, y luego, con lápiz, escriba la cantidad correspondiente a cada cuenta y réstela de dicho total (como en el ejemplo anterior). La cantidad sobrante es la realidad, es el dinero que le queda para vivir el resto del mes. Mucha gente gira todos los cheques del mes pero no los envía mientras no reciba los pagos de salarios que cubrirán los cheques girados.

Aunque es difícil, bien vale la pena el esfuerzo de maniobrar con los sueldos y las cuentas durante unos meses hasta lograr acumular un fondo que sea suficiente para pagar todas las cuentas de una sola vez. (Algunas personas me han contado que consiguieron dinero prestado para poder empezar.) La paz espiritual que se deriva de pagar todas las cuentas de una sentada cada mes merece el esfuerzo. (Si usted tiene una o dos cuentas que llegan en fechas inconvenientes del mes, llame a la respectiva o respectivas entidades y pregúnteles si pueden cambiar la fecha de facturación.)

T. J. escribió: "¡Estoy tan emocionado! Nuestro objetivo número uno es pagar las cuentas una vez al mes. Hemos empezado este mes. Estamos ahorrando todos nuestros ingresos de este mes y yo me sentaré y pagaré todas las cuentas el primero del mes entrante. Estoy usando una parte de nuestro dinero de impuestos para completar lo de este mes, mientras juntamos todos nuestros ingresos mensuales. Estamos ocupándonos también en varios asuntos más. El cambio requiere tiempo. Llevo trabajando en él varios años desde que tomé su curso por primera vez".

Cuando vemos el poco dinero que queda después de restar todas las cuentas, por lo general resolvemos examinar más de cerca nuestros gastos. Estudiamos las cuentas de la televisión por cable, de los periódicos y revistas, del teléfono celular, al igual que las cuotas del automóvil nuevo y de los clubes, etc., para ver si ésta es la manera como queremos gastar nuestro dinero. Si no nos gusta la falta de dinero, podemos decidir hacer algo al respecto. Una cosa es segura: si dejamos de usar nuestras tarjetas de crédito, la deuda por ese concepto desaparecerá. Con el tiempo, el dinero que salía para pagar cosas compradas en el pasado estará disponible para satisfacer nuestras necesidades de hoy y para contribuir en nuestros planes y ahorros para el futuro. ¡En el caso de la lista de gastos de la página 102, serían $141 extras!

Otro beneficio que obtenemos de pagar las cuentas de una sola vez es que la comunicación dentro de la familia mejora y que el gasto excesivo disminuye. Cuando otros miembros de la familia quieren comprar tal o cual cosa, podemos abrir la chequera y mostrarles el saldo: "Quedan $46 en la cuenta y faltan diez días del mes". Caso concluido. Pero esto no quiere decir que esa persona deba sentirse privada de algo. Si la cosa que desea es realmente importante, sólo rotule una nueva caja de los sueños y propóngase obtenerla.

Que paguemos nuestras cuentas de una sentada, o que las paguemos una a una durante el mes, cuestan exactamente lo mismo. Lo que no es lo mismo es lo que sentimos. Luchar durante todo el mes para pagar aquí y allá nos llena de temor, ansiedad y preocupación. Pagar todo de una sola vez significa tener una visión de conjunto. ¿El resultado? Satisfacción y control. No hay sudor, no hay pánico. Usted se ha ocupado de todo.

Método 2: Cómo pagar todas las cuentas una sola vez en

el mes si a usted le pagan por comisión, trabaja independientemente, tiene un empleo temporal o, por cualquier otra razón, dispone de cantidades mensuales que varían ampliamente según el mes.

En primer lugar, tome su chequera y una hoja en blanco y haga la lista de todas las cuentas que paga cada mes. Totalícelas (no olvide empezar con el dinero que se paga a usted mismo primero). Este total es la suma de dinero que usted necesita cada mes sólo para pagar cuentas. Súmele a esta cifra el monto de sus gastos normales de alimentación, artículos de limpieza y demás gastos esenciales del mes (si usted no tiene los datos exactos, haga un cálculo aproximado). Esta cifra es su punto de partida para estimar cuánto dinero necesita tener mensualmente para cubrir sus gastos básicos. Sabiendo cuánto necesita cada mes, puede empezar a darse a usted mismo un salario mensual previsible.

Supongamos que usted trabaja por comisión y recibe un mes $6 243, y no recibe nada durante los siguientes dos meses. Supongamos, además, que usted ha establecido que su "salario" debe ser de $1 866 al mes. El día en que se va a dedicar a pagar las cuentas, usted retira exactamente $1 866 de su cuenta de ahorros y los traslada a su cuenta corriente. Se ha dado a usted mismo la paz espiritual que proviene de saber que tiene un sueldo mensual previsible. Cada día, a lo largo del mes, se siente relajado y con la situación bajo control, sabiendo que se ha pagado a usted mismo y además ha pagado todas las cuentas.

Ya sea usted un profesor de baile que recibe cheques pequeños a lo largo del mes, o un contratista de la construcción que maneja periódicamente grandes sumas de dinero, su objetivo es el mismo: darse un salario básico mensual predeterminado.

Los principales beneficios de pagar las cuentas de una sentada cada mes son:

1. Pagar las cuentas se vuelve divertido, pues esperamos con entusiasmo el momento del mes en que todos los asuntos de dinero quedarán atendidos, el momento en el cual nos pagamos a nosotros mismos y damos un paso más hacia nuestras metas.

2. Hemos establecido controles automáticos. Depositamos nuestro único "salario" mensual, nos pagamos primero, abonamos a las cuentas el mínimo requerido, y lo que queda es para pasar el mes.

3. Al colocar cuidadosamente al final nuestras cuentas a plazos, disminuimos la tentación de abonar más del mínimo requerido.

4. Estamos más dispuestos a vivir de acuerdo con nuestros ingresos. Ya es menos probable que hagamos gastos excesivos, engañándonos a nosotros mismos, al decir: " Hay otro cheque apenas a la vuelta de la esquina".

5. A medida que añadimos dinero a nuestras metas un día determinado de cada mes, obtenemos un estímulo interno al constatar, en nuestra hoja del plan maestro monetario (véanse las páginas 194-195), cómo crece nuestro dinero, mientras, simultáneamente, observamos cómo van disminuyendo los saldos de nuestras deudas a plazos.

6. Paz interior. Una vez que establecemos el hábito de pagarnos a nosotros mismos y de abonar a las cuentas una vez al mes, podemos descansar. Todas las cuentas están

pagadas, nuestras deudas a plazos empiezan a desaparecer y hemos empezado a lograr nuestras metas. Nos hemos dado el invaluable regalo que se deriva de tener dominio sobre nuestra vida y nuestro dinero: la paz interior.

¿Qué ocurre si opero sobre la base de "todo en efectivo"?

Las mismas sugerencias se aplican si usted opera únicamente con dinero en efectivo. Guarde dinero hasta que haya acumulado suficiente para pagarse a usted mismo primero y pagar, además, todas las cuentas mensuales. (Como tener dinero a mano puede ser tentador, use su genio y creatividad para evitar "prestarse a usted mismo".)

Si una de las razones por las cuales usted opera con base en "sólo efectivo" es que los acreedores están tras sus cuentas bancarias, piense en la posibilidad de que un amigo o un pariente (alguien en quien usted confíe plenamente) abra una cuenta de ahorros para usted con dinero que usted provea. Así, los ahorros para sus metas pueden devengar intereses.

¿Debo consolidar todas mis cuentas?

Para tomar una decisión sobre si se deben o no se deben consolidar las cuentas, debe considerar cuidadosamente qué le dará más dominio y qué será más ventajoso para usted a largo plazo.

Uno de los peligros más grandes de conseguir un préstamo de consolidación para pagar todas las deudas pequeñas es que, en ese momento, tendremos todas nuestras tarjetas de crédito en cero. Al no deber nada en nuestras tarjetas, es fácil caer en la tentación. Estamos de compras y empezamos a pensar: "No creo que un solo débito me perjudique. Lo pagaré tan pronto como llegue la cuenta". Sin pensarlo, estamos sucumbiendo a la tentación y desencadenando un proceso: un débito conduce a otro. ¡Acabamos pagando cada mes el préstamo grande para la consolidación *y al mismo tiempo* haciendo abonos a todas las tarjetas! Nicolás y Cristina heredaron $6.000 y utilizaron todo el dinero para saldar todas las deudas de sus tarjetas de crédito. Dijeron que estaban asistiendo al seminario porque habían vuelto a cargar las tarjetas de crédito hasta el límite máximo.

Los bancos y las corporaciones de crédito están compitiendo por el interés de su dinero y, por lo tanto, siempre están demostrando las ventajas de consolidar. Una propaganda que recibí por correo decía: "Algunas veces una sola cuenta tiene más sentido". Hablaba acerca de lo fácil que resulta girar un solo cheque y de cómo ellos "se harían cargo de todo por usted". ¿Le suena conocido? El caballero de la brillante armadura que llega con la solución instantánea, listo a cuidar de nosotros y a eliminar todos nuestros problemas de dinero.

Ya no estamos interesados en soluciones instantáneas que pronto fracasarán. Ahora estamos en busca de una solución *permanente* a largo plazo: un camino para salir de la trampa de las tarjetas de crédito de una vez por todas. Cuando decidí, por primera vez, abonar el mínimo requerido a las deudas a plazos, recibíamos cuentas de siete tarjetas de crédito diferentes. Era algo así:

Tarjeta de crédito	Saldo pendiente	Abono mínimo	Meses para pagar el saldo
VISA	$3 600	$108	33
MasterCard	2 700	81	33
Almacén de deptos.	1 300	80	16
Almacén de deptos.	800	80	10
Almacén de deptos.	400	20	20
Almacén de deptos.	350	50	7
Almacén de deptos.	230	40	6

Dos cosas ocurren cuando dejamos de utilizar nuestras tarjetas de crédito y empezamos a abonar fielmente la mínima cantidad requerida: 1) poco a poco el abono mínimo disminuye, dejándonos más dinero en nuestro bolsillo, y 2) antes de lo que creíamos posible, empezamos a recibir recompensas a medida que las cuentas van quedando saldadas. En el ejemplo anterior, la cuenta del almacén de departamentos con un saldo de $230 quedará cancelada en unos seis meses, y eso significa que $40 más se quedan en casa. Cuando una cuenta quede finalmente saldada, *diversifique* cuidadosamente este nuevo dinero, dedicando, tal vez, otros $10 a las metas y dejando el resto en la cuenta corriente para tratar de pasar el mes sin recurrir al crédito. (El capítulo 4 explica la diversificación.)

Al abonar nosotros mismos a nuestras cuentas el mínimo requerido (en lugar de hacer la consolidación), tendremos muchas oportunidades de tomar decisiones sobre nuestro dinero. Cada vez que una cuenta más desaparece, tenemos más dinero en nuestro bolsillo y otra oportunidad de practicar la diversificación y de manejar nuestro dinero. Cada mes, al decrecer la suma mínima requerida y al aumentar el dinero disponible para el mes, nuestro ánimo se renueva. Así como perdimos el control lentamente a lo largo de los años, ahora, intencionalmente, estamos tomándonos el tiempo necesario para recuperar el control. Mandamos. Adquirimos dominio.

Consejos sobre pagos de las cuentas y de las tarjetas de crédito

✦ **El extracto bancario.** Cuando llega el extracto bancario, mi propósito es conciliar sus datos con los de la chequera dentro de los siguientes dos o tres días, de manera que no me toque hacerlo el mismo día en que pago las cuentas y me pago a mí misma. La confrontación de la chequera con el extracto bancario se hace para asegurarse de que ni el banco ni nosotros nos hemos equivocado. Una vez que haya trazado su plan maestro monetario (capítulo 6), ansiará ver llegar el día de pagar las cuentas, porque verá crecer el dinero que se paga a usted mismo y además festejará la desaparición gradual de las cuentas a plazos. La idea no es mezclar la tarea de conciliar la chequera con la diversión de celebrar nuestros progresos.

✦ **Pagar telefónicamente.** Si a usted le llama la atención pagar las cuentas por teléfono o por medio de cualquier otro sistema automático, entonces estúdielo. Marta explicó que el acto de sentarse con su chequera, girar cheques y pegar estampillas no sólo la traumatiza sino que le resulta, además, casi insoportable. Dijo que servirse del teléfono para pagar las cuentas era uno de los mejores regalos que se había dado a sí misma. "Se hace en segundos, está disponible veinticuatro horas diarias y es increíble cómo me ha ayudado a conservar la salud mental".

✦ **Establecer prioridades.** Cuando se siente a pagar las cuentas, trate de ordenarlas según su importancia. Después de situarse a usted mismo en primer lugar ¿qué sigue? Probablemente los médicos, los dentistas, el arriendo o la hipoteca, etc., hasta que muy al final de la lista estén las tarjetas de crédito y las deudas a plazos.

Se beneficiará grandemente de establecer prioridades, pues se volverá muy fácil abonar el mínimo a las cuentas de las tarjetas. Después de habernos pagado a nosotros mismos y de haber pagado las cuentas, queda muy poco dinero para el mes, por lo que la tentación de abonar más del mínimo desaparecerá.

✦ **Archivar.** Una de las mejores cosas que he hecho fue ponerle a una carpeta de archivo el rótulo "cuentas por pagar". Cuando llega una cuenta, simplemente la coloco en la carpeta (que permanece en primer lugar en el archivador). No pienso en ella, ni me preocupo, ni me pregunto qué hacer con ella. La carpeta continúa llenándose hasta un día, entre el cinco y el ocho del mes, en que la saco, ordeno el contenido por prioridades, me pago a mí misma, pago las cuentas y lleno la hoja de mi plan maestro monetario (véanse las páginas 194-195).

✦ **Qué hacer cuando usted no puede pagar siquiera el mínimo.** Lo que he llegado a comprender, por conducto de la gente que trabaja para oficinas de clasificación de créditos y agencias de cobro de cuentas, es que a los acreedores lo que más les interesa es que les paguemos *algo*. Dicen que *nunca* se deben poner todas las cuentas en un sombrero y sacar unas pocas a la suerte, sino que se debe pagar siempre algo a todo el mundo.

Por lo tanto, si usted está empantanado y no puede pagar siquiera el mínimo, escríbale una carta a cada una de las entidades que le han concedido créditos. En su carta explique brevemente que está ahogado por las deudas y que está estudiando la manera de recuperar el control. Antes de actuar, haga *cuidadosamente* un completo inventario de su situación financiera. Si decide escribir estas cartas, debe hacer un verdadero esfuerzo para trazarse un plan amplio y coherente que realmente enderece la situación.

Por ejemplo, supongamos que el pago mínimo en una de sus cuentas es $85 al mes. La mayoría de las personas tienden a pensar: "Si reduzco a mi familia a un régimen de pan y agua, y como único entretenimiento jugamos a la baraja, apuesto a que podemos pagar $70". ¡Cuidado! Pagar sólo $15 menos al mes no le dejará suficiente dinero en el bolsillo para cambiar el curso de la situación.

Recuerde que la única manera de poder verdaderamente salir de la trampa de las tarjetas de crédito es tener dinero, dinero, dinero. Su plan debe asegurar tres cosas: 1) que su abono mínimo sea lo suficientemente bajo para poder pagarlo, 2) que tenga suficiente dinero para sus gastos diarios, de manera que no necesite recurrir a las tarjetas de crédito, y 3) que esté ahorrando para salir definitivamente de la trampa.

Si decide que necesita seguir el camino de escribir a sus acreedores, tendrá que pedir que le disminuyan su abono mensual de $85 a $10 o $15 (y, claro está, le asegurará a la entidad crediticia que no usará más la tarjeta). La clave es ser realista. Si quiere salir, tendrá que abrir la puerta, no sólo romper el vidrio de la ventana.

Mi amiga Marcia, cuyo esposo es médico y atiende en su consultorio particular, me cuenta que pasa todas las mañanas de los lunes llamando a la gente que no ha pagado la cuenta médica. Tímidamente admití que le había enviado sólo $5 al dentista ese mes. "¡Eso es magnífico! — dijo —. No hay problema, siempre y cuando que la gente nos envíe *algo*".

✦ **Maneje el saldo en las cuentas de tarjetas de crédito en la misma forma que el del préstamo para automóvil.** ¿Ha notado usted alguna vez que no es mayor problema hacer el abono "mínimo" exacto en un préstamo para automóvil o en el de la hipoteca? Firmamos un contrato y acordamos pagar una suma X cada mes hasta que el automóvil o la casa sean nuestros. Tal vez le ayude darle el mismo tratamiento a las tarjetas de crédito que a los abonos a la deuda del automóvil: abonar sólo el mínimo.

✦ **No se engañe más.** Beth debía más de $20 000 en cuentas de tarjetas de crédito. Todo su salario estaba dedicado a pagar los mínimos requeridos en las deudas a plazos y, ella y su marido, vivían del salario de él. En una entrevista privada, invité a Beth a que sacara todas sus tarjetas de crédito y escogiera una sola para no usarla más. Nerviosamente estudió la pila. "Bien — dijo finalmente —. Supongo que podría dejar de usar la tarjeta de Sears, porque casi nunca la utilizamos, a no ser para cosas como neumáticos, un horno nuevo o una lavadora". ¡Increíble! De todas las tarjetas de la pila, ésa era precisamente la que debía conservar. Las tarjetas de crédito de los almacenes de departamentos serán de poca utilidad si uno se queda sin dinero y necesita un calentador de agua nuevo, reparar el automóvil o un techo nuevo para la casa. Mientras se libera del uso de las tarjetas de crédito y aumenta sus ahorros, conserve una tarjeta de crédito importante para el caso de que surja una emergencia antes de que tenga con qué enfrentarla.

RESUMEN

¿Por qué debemos abonar sólo el mínimo requerido a las cuentas a plazos en vez de saldarlas lo antes posible y eliminar los altos costos financieros? Por dos razones principales. Una de ellas es: para deshacernos del dominio emocional que las cuentas ejercen sobre nosotros, colocándolas en último lugar y restándoles importancia. La otra es: para liberar dinero a fin de poder empezar a pagarnos a nosotros mismos. Al abonar el mínimo a las cuentas, damos un salto formidable para escaparnos de la trampa del crédito y llegar a la libertad de elección que proviene de tener dinero.

UN HECHO: Cuando las cuentas dejan de ser el centro de atención y se abona el mínimo, las cuentas a plazos empiezan a desaparecer.

UN HECHO: Usted puede hacerlo.

UN HECHO: Abonar el mínimo a las cuentas de tarjetas de crédito lo hará desear dejar de usarlas y empezar a vivir en el presente.

UN HECHO: Al decidir pagar el mínimo en sus cuentas de tarjetas de crédito, su acción equivale a decir: "Mis metas y yo somos más importantes que las cuentas". Usted ha tomado el mando.

Cuando esté tentado de abonar más del mínimo, no olvide hacerse las siguientes cuatro preguntas:

1. ¿Tengo un fondo para emergencias suficientemente grande como para manejar una serie de gastos inesperados?

2. Si dedico una fuerte cantidad de dinero a pagar las cuentas hoy y descubro mañana que me quedan seis semanas de vida, ¿querría que me devolvieran el dinero?

3. ¿Tengo por lo menos seis meses de salario ahorrado y disponible para futuras emergencias desconocidas?

4. ¿He alcanzado mis metas? ¿Estoy ahorrando tanto como quisiera cada mes para las aventuras con que siempre he soñado?

El desafío que se nos plantea es desafiarnos a nosotros mismos. ¿Queremos que, al final de la vida, nuestro único recuerdo consista en decirnos: "Por Dios, es cierto que siempre pagamos todas nuestras cuentas", o queremos, más bien, deleitarnos con maravillosos recuerdos de los lugares que visitamos y de las experiencias que compartimos?

Las cuentas no son nuestro verdadero problema. El verdadero culpable es nuestro descartado enfoque. Nuestra obligación es dirigir nuestra energía hacia la esencia misma de lo que le da sentido a la vida. Estamos colocando nuestras metas en primer lugar, al mismo tiempo que suavizamos la intensidad de nuestra preocupación por las cuentas. Al reclamar el control sobre nuestro dinero y sobre nuestra vida, adquirimos el ritmo uniforme de la tortuga (abonando sólo el mínimo a nuestras cuentas a plazos) y dirigimos nuestra energía, nuestro entusiasmo y *nuestro dinero* hacia algo que nos aporta vida.

CUATRO

¿Cómo repartir $5?
¡Me está tomando el pelo!

Lo que importa no es lo que a uno le sucede,
sino lo que hace al respecto.

— W. Mitchell

Ahorrar es aburrido.

Imagínese que está conversando con unos amigos y, de pronto, uno de ellos dice: "¡Ya sé! Ahorremos dinero". "¿Cómo?", responderán todos al unísono, pensando que su amigo se volvió loco. Pero si la misma persona sugiriese: "¡Alquilemos una cabaña entre todos!", entonces, sí habría expresiones de entusiasmo. ¿Cuándo lo haremos? ¿Adónde iremos, al mar o a las montañas? Al concretarse el plan, todos estarán dispuestos a ahorrar para realizarlo; súbitamente, se ha vuelto divertido ahorrar.

A los dieciocho años de edad, cuando me independicé de mis padres, sabía que debía ahorrar dinero. También sabía que debía usar seda dental diariamente, que debía hacer ejercicio regularmente, que debía comer muchas verduras y frutas, que debía, que debía, que debía. ¡Qué aburrido! De cuando en cuando, sin mucho entusiasmo, depositaba algún dinero en una cuenta de ahorros (movida por un sentimiento de culpa). Pero, como no tenía pensado qué hacer con ese dinero, podía retirarlo con la misma facilidad con que lo había depositado casi por cualquier motivo y así lo hacía.

Entonces, ¿por qué razón ahorrar puede dejar de ser un aburrido "tengo que" y convertirse en un entusiasta "quiero"? Todo reside en la *motivación*. La diversión y la satisfacción que sentimos, cuando estamos persiguiendo nuestras metas y nuestros sueños, se están volviendo realidad, nos mantienen revitalizados. En vez de sentir el peso de la culpabilidad y de la responsabilidad, nuestra energía, nuestra concentración y nuestra claridad de propósitos nos estimulan e impulsan a seguir adelante.

"Muchas veces he estado motivado — se dirá usted — pero al poco tiempo pierdo el entusiasmo y fracaso". Esto nos ocurre por una razón fundamental, y ella es que no tenemos claridad sobre lo que queremos. Por ejemplo, si yo pregunto: "¿Le gustaría un poco de postre?", su mente analiza la pregunta más o menos así: "¿Quiero postre? Hummmmmm. Sinceramente, no tengo apetito pero, por otra parte, según lo que sea, puede que sí me apetezca". Entonces, es probable que pregunte: "¿Qué clase de postre me está ofreciendo?" Como la pregunta sobre el postre era muy vaga, no desencadenó una reacción emocional. Sólo su mente se puso a trabajar, pensando e investigando.

Ahora, compare esa pregunta poco motivadora con ésta: "¿Le gustaría probar el más delicioso e irresistible postre de chocolate jamás creado?" (Reemplace la palabra chocolate, si es necesario, por *limón, frambuesa* o por cualquier otra que designe su sabor favorito.) Comenzará a hacérsele agua la boca, y su nariz y su lengua, ante la sola idea de probarlo, empezarán a esperar ansiosamente el exquisito aroma y el delicioso sabor.

Hay una lección de importancia vital que debemos aprender de estas dos respuestas completamente diferentes. La clave es darle a nuestro campo emocional algo específico ante lo cual responder. He aquí otro ejemplo: "Estoy ahorrando para unas vacaciones". Como la palabra vacaciones no es específica, nada se estimula en nuestro interior y nuestro cerebro responde: "Ah, ¿sí? ¡Y qué!" Compare eso con: "Me voy a ir para Francia a descansar en la Riviera, tomarme una fotografía en la torre Eiffel y hacer amistad con los franceses". Francia, al ser un destino específico para las vacaciones, nos estimula a imaginar lugares y sonidos y nos llena de anhelo y entusiasmo. Cuando finalmente me percaté de que había convertido el ahorro en algo muy aburrido, comprendí por qué no había ahorrado nada.

En un seminario, Lynn mencionó "un viaje a través del país" como su meta. Suspiró, pues no parecía sentirse muy entusiasmada. Continuó diciendo: "La verdad es que quiero ir, pero sencillamente no me entusiasma ahorrar para eso". Una semana después, Lynn llamó tan sólo para compartir su experiencia, con la esperanza de que podría ayudar a alguien que leyera este libro. Finalmente comprendió que las palabras "viaje a través del país" se asociaban con la idea de largas y calurosas horas en su camioneta, parando en baños sucios y en grasientos restaurantes de comida rápida. Cuando se dio cuenta de las emociones negativas producidas por las palabras "un viaje a través del país", cambió el rótulo de su meta por uno que sí la emocionaba y entusiasmaba: "El Gran Cañón". Dijo que esto establecía la gran diferencia.

Por lo tanto, sea específico. No sólo debemos darles un nombre a nuestras cuentas y a nuestras cajas de los sueños, sino que, además, éstos deben ser específicos: "diversión" no, sino paseo a caballo, "vacaciones" no, sino los Alpes suizos.

Diversificar, diversificar, diversificar. Y ser específico. De eso es de lo que estamos hablando. Si todo nuestro dinero y nuestras metas están en un solo montón, y aparece un gasto inesperado, adiós a todo. Pero cuando tenemos una cuenta en la corporación de ahorros, al otro lado de la ciudad, para Disneylandia; una caja de los sueños para un sofá nuevo; y le enviamos cada mes cierta cantidad de dinero a la tía Nellie para un fondo de emergencias, ahora sí estamos haciendo lo mandado. Estamos diversificando nuestro dinero arduamente ganado. Controlamos la situación, y nuestras bases están cubiertas.

Cuando empezamos a diversificar nuestro dinero para las cosas que queremos (diversión, seguridad, viajes [o, para ser específicos, esquiar, dinero para emergencias y las Bahamas]) en distintas cuentas de ahorros, empezamos a comprender que pagarnos a nosotros primero no sólo no es difícil, sino es vigorizante. Estando la diversión, seguridad y motivación de nuestro lado, controlamos la situación. Las cuentas, aunque todavía están ahí, empiezan a situarse en la parte de atrás y, súbitamente, bajo la trémula luz de nuestra nueva consciencia, se destacan nuestras metas largamente esperadas.

Usted podría estar preguntándose: "¿Cómo puedo hacer el seguimiento de un montón de cuentas? Detesto el papeleo. Esto me confundirá". La verdad es que las múltiples cuentas confunden menos que lo que la mayoría de las personas han estado haciendo, y, sobre todo, son divertidas.

Durante años y años, tuve una cuenta de ahorros y una cuenta corriente. Cuando llegaba el extracto de la cuenta de ahorros con un saldo de $91, dividía el dinero en el papel así: "Veinticinco son para el viaje a reunirme con la familia, cincuenta para la sierra de mesa y dieciséis para un paseo de fin de semana al mar". En ese momento, el automóvil necesitaba una reparación. Sacaba el dinero para pagarla y adiós a la reunión, a la sierra y al paseo a la playa.

Somos criaturas emocionales. Cuando nuestro extracto de ahorros llega con la cifra de $91, eso es lo que nuestro cerebro registra: $91. El siguiente pensamiento puede ser: "Caramba, esos son casi $100. Puedo comprar esa lámpara rebajada que vi ayer".

Si hubiera tenido cuentas de ahorros separadas, hubiera visto un saldo de $25 en la cuenta. Ahora, mi siguiente pensamiento podría ser: "La reunión es dentro de sólo cinco meses y no quiero faltar. Con los pasajes, el hotel, las comidas y los paseos, debo destinar más dinero a la cuenta para esta reunión, o de lo contrario no podré ir".

La mayoría de las personas disfrutamos de los beneficios de diversificar, todos los días, en la cocina. Hemos separado los cubiertos en tres o más secciones: tenedores, cuchillos y cucharas. No es complicado, no nos confunde. De hecho, hace la vida más fácil; por eso lo hacemos. La solución simple funciona igual de bien con el dinero.

Tener nuestro dinero separado nos ayuda a no hacernos sabotaje. Dejamos de sacar el dinero para las vacaciones soñadas para pagar las reparaciones del automóvil. Los zapatos no están en el mismo cajón de las medias y el dinero para el nuevo equipo estereofónico no está revuelto con el dinero para emergencias.

Cuando el automóvil acaba de ser reparado, está funcionando bien y tiene el depósito de gasolina lleno nos sentimos confiados, relajados y preparados para viajar. Eso es lo que estamos haciendo cuando diversificamos el dinero en múltiples cuentas de ahorros. Al asignar dinero para cubrir cada una de nuestras necesidades, nos damos la satisfacción de sentirnos preparados. Cuando tenemos una necesidad o un deseo, nos ocupamos de ello. Abrimos una cuenta separada, para esa meta específica. No más pesadillas cuando hay que pagar los impuestos, no más pánico cuando se daña el aparato de calefacción, no más espera hasta que estén pagadas las cuentas para planear y realizar ese viaje especial.

Tom (el hombre que ahorró $13 000 en año y medio) cuenta su caso: "Abrí cuatro cuentas con $5 cada una y, un par de meses después, abrí otras dos, también con $5. Me sentí bien cuando abrí esas cuentas, porque ahora estaba organizando mi dinero.

"Abrí una cuenta exenta de impuestos. Abriré otra cuenta para el dinero proveniente de bonificaciones. Luego abriré una cuenta para mi hija, cuando ya no tenga que pagar para que la cuiden durante el día, y eso ocurrirá en junio. En realidad, tengo ahora como nueve cuentas. Todo mi futuro se está organizando. Es un sentimiento agradable".

Veamos qué ocurre cuando diversificamos:

1. Hemos buscado en nuestro interior lo que realmente nos motiva y hemos alcanzado un objetivo específico.

2. Hemos tomado la medida de abrir cuentas separadas (o cajas de sueños) para cada meta específica.

3. Hemos utilizado el dinero de pagarnos a nosotros mismos primero para diversificarlo en cuentas con metas específicas.

4. Hemos aumentado grandemente nuestras probabilidades de alcanzar nuestras metas. El dinero ahorrado para una reunión familiar muy esperada correrá menos riesgo de ser gastado para pagar la reparación de la nevera.

5. Hemos establecido una meta tangible. Podemos probar, ver y sentir que algo está ocurriendo.

6. Nos sentimos sosegados y en posesión de nuestro dinero. Hemos cubierto nuestras bases con varias cuentas (el capítulo 6 muestra en detalle cómo), y hemos puesto los fundamentos para dormir tranquilos.

7. Hemos aumentado la calidad de nuestra vida diaria al tener expectativas, diversión, motivación y seguridad.

8. Hemos creado esperanza.

El siguiente paso será reunir y organizar sus distintas metas en un plan de acción. En el capítulo 6, usted aprenderá cómo elaborar un plan para que sus sueños adquieran vida. Disfrutará haciéndolo y tendrá éxito, porque es un plan basado en lo que usted más valora.

Bonnie escribió: "La otra sugerencia que seguí fue la de que tuviéramos cuentas de ahorros separadas. Antes tomábamos pocas vacaciones, siempre escasos de dinero y recurriendo a las tarjetas de crédito. Ahora tengo una cuenta separada en la corporación de ahorros, en la cual deposito dinero sacado de cada sueldo para las vacaciones. El verano pasado tomamos nuestras primeras vacaciones libres de deudas. ¡Nos divertimos de lo lindo! Fueron unas verdaderas vacaciones (que estaban ya pagadas cuando regresamos a casa).

"También tengo ahorros separados para matrícula y libros, con miras a tomar clases en la universidad. Y tengo una cuenta para pagar los costosos impuestos semestrales de nuestra propiedad. También estamos abriendo pequeñas cuentas de ahorros para la universidad de nuestros tres hijos. ¡Y ellos están aprendiendo cómo manejar el dinero! Nunca, en mi vida, había elaborado un plan monetario. ¡Oh, sí! Había tratado y quedado tan frustrada, que había desistido. Ahora he descubierto que mi plan funciona por sí solo, puesto que las cosas que ocurren 'de vez en cuando' están cubiertas por las cuentas de ahorros. Otro resultado es que pago las cuentas cuando llegan, ¡y no es que tengamos más ingreso que antes!"

"¿Cuántas cuentas se supone que debo tener?"

Tal vez, actualmente, tiene usted una cuenta corriente que usa para atender las necesidades del hogar, una cuenta de ahorros asignada a emergencias, y ha rotulado su recipiente en donde ahorra todo su cambio para "una fantástica noche de fiesta". Si esto es así, ya ha diversificado su dinero en tres formas.

Tal vez, dentro de unas seis semanas le llegue algún dinero inesperado de alguna devolución o de un pago de seguros. Al recibir este dinero se sentirá impulsado a abrir una cuenta para el automóvil, con el fin de disminuir el estrés que le produce el pago de los seguros y de las multas. Y si me encuentro con usted dentro de seis meses, puede que me diga: "Carol, tengo cinco cuentas ahora", y dentro de tres años podría decir: "Tengo nueve cuentas". Una vez que experimente los increíbles beneficios de la diversificación, usted pondrá la idea en práctica según sus necesidades.

Cuando se percate de que nunca hay dinero para determinada cosa, creará un fondo separado, con suficiente anticipación, para adquirirla. No se trata de decidir cuántas cuentas debe tener. Lo que debemos hacer es dejar de pensar, de preocuparnos, de planear y de calcular, y actuar: es decir, dedicar dinero para nuestras metas. En el caso del cuarto de mi hijo, yo simplemente me decidí y comencé a pintar. Es así como empezamos a tener cuentas diversificadas. Simplemente, empezamos.

Si diversifico, ¿no obtendré menos intereses que si mantengo todo el dinero junto?

Aunque parezca que estamos devengando menos intereses al diversificar una suma grande de dinero, mirémoslo más de cerca. Si tenemos $500 devengando 3% de interés, esa cuenta generará $15 al año. Si tuviéramos $100 devengando 3%, esa cuenta generaría $3 al año. Por lo tanto, cinco cuentas distintas de $100 cada una (o $500 en total) generarían $3 cada una (o $15 todas juntas). Devengamos la misma suma de intereses en ambos casos. Pero tenga cuidado. Asegúrese de que no le están cobrando una comisión por ahorrar. La entidad en que usted ahorre debiera estarle pagando a *usted* dividendos por el privilegio de estar usando el dinero *de usted*.

¿De dónde sacaré el dinero para abrir cuatro, siete o doce cuentas?

La primera tarde de un seminario, Gail dijo: "Por Dios, si sigo su sugerencia, tendré noventa y siete años cuando por fin llegue a Europa". Dos consideraciones parecen hacer cortocircuito cuando, por primera vez, contemplamos estas nuevas ideas: 1) "¿Cómo puedo, ahorrando unas pocas monedas, llegar a reunir lo suficiente (para un viaje a Europa antes de que tenga noventa y siete años)?", y 2) "Puesto que no tengo ningún dinero, ¿con qué abriré todas esas cuentas?"

Siempre me es difícil explicar esta parte, porque es algo que simplemente ocurre. Es como si uno se para bajo la lluvia: inevitablemente se moja. Mi amigo Brian trajo su caja de sueños para mostrarme sus progresos. Él y su hijo de cinco años están ahorrando para ir en avión a las islas de San Juan. Dentro había un billete de $100. Acababan de contar el cambio ahorrado, y les faltaban sólo $3 para llegar a $100. Por lo tanto, ¿qué hicieron? Adivinó. Sacaron $3 de un fondo general para tener un nuevo y reluciente billete de $100 que los estimulará.

Ése es un magnífico ejemplo de lo inventivos que podemos llegar a ser, una vez que estemos motivados. Aunque Brian y su hijo estaban ahorrando el cambio para llegar a su meta, sus $97 se hallaban tan cerca de los emocionantes y excitantes $100, que $3 en billetes fácilmente aparecieron para completar el total del viaje en avión. Una vez que usted se dirija hacia sus metas, encontrará toda clase de maneras ingeniosas de conseguir el dinero para lograr hacerlas realidad. Llegará la renovación de la suscripción a una revista, y usted evaluará las prioridades: ¿más revistas o más dinero para el buceo? Del mismo modo que cuanto más permanezca bajo la lluvia más se mojará, cuanto más haya estado diversificando su dinero más formas encontrará de obtener dinero adicional para sus metas.

Por lo tanto, ¿de dónde saldrá el dinero que dedicará a estas metas diferentes? En primer lugar, de nuestras opciones diarias, y en segundo lugar, de los juegos de dinero que juguemos (véase el capítulo 5). Cuando depositamos una moneda en el sombrero de un músico callejero o de un mendigo, ¿qué estamos pensando? De una u otra manera, comprendemos que unas pocas monedas de un montón de gente se sumarán y harán que la persona salga adelante. Ahora es el momento de aplicar ese principio a nuestra vida para ayudarnos a salir adelante.

En la segunda semana de clase, Gail dijo: "Estaba bromeando cuando dije que tendría noventa y siete años antes de haber ahorrado suficiente cambio para viajar a Europa, pero como nunca empecé a ahorrarlo, ¡más bien estaría muerta! Ahora, por lo menos tengo una posibilidad. Lo que quiero decir es que lo había deseado durante mucho tiempo, pero nunca había hecho nada para llegar allí. Tal vez simplemente me imaginaba que, algún día, cuando la cuenta estuviera pagada, cuando hubiera terminado esto, cuando los niños hubieran crecido, usted sabe..."

Sea cual sea su situación, empiece. Haga, tal vez, algo tan simple como meter unas monedas en una media hasta que haya dinero suficiente para ir a un restaurante. Escoja algo que realmente le llame la atención y manténgase firme. Una vez que haya experimentado el logro de una meta, el éxito lo llevará a la próxima y después a la siguiente.

¿En dónde abro todas mis cuentas?

Un lugar ideal para abrir todas sus cuentas es una cooperativa de crédito cercana. Averigüe si su patrono está afiliado a una cooperativa de crédito. Si es así, entérese de qué ofrece. Luego, busque en las páginas amarillas de la guía telefónica las cajas de crédito de su sector. Estoy poniendo el énfasis en las cooperativas de crédito porque su objetivo es ser útiles a sus miembros, mientras que los bancos están en el negocio de hacer dinero. Tanto los bancos como las cooperativas de crédito están asegurados.

Generalmente vale la pena hacer el esfuerzo de encontrar una cooperativa de crédito y afiliarse a ella. Las ventajas de las cooperativas de crédito sobre los bancos suelen ser muchas. He aquí algunos beneficios que usted puede conseguir: un interés más alto en las cuentas corrientes y de ahorros; se requiere poco dinero para abrir una cuenta; tasas menores para préstamos; cargos mensuales mínimos o inexistentes para las cuentas corrientes; ningún cargo para las cuentas de ahorros; uso gratis de cajeros automáticos; afiliación a un almacén, etc. Recuerde diversificar también los lugares en donde deposita su dinero. En los últimos años, hemos visto entidades de ahorro quebradas. Asegúrese de depositar su dinero en más de una entidad de ahorros.

La gente pregunta a menudo si su banco o su cooperativa de crédito le permitirá tener más de una cuenta. El hecho es que necesitan nuestro dinero para permanecer en el negocio. No debiera haber diferencia entre si diez personas abren una cuenta y si una persona abre diez cuentas.

Fíjese en lo que dice

Por costumbre, podemos estar usando inconscientemente palabras que nos son familiares pero que ya no expresan, en forma exacta, lo que verdaderamente estamos sintiendo. A veces, en un seminario, oigo que alguien dice: "Estoy privándome cada vez de más cosas". Cuando le pregunto al grupo si realmente se está "privando de algo", inmediatamente todos reconocen que eso no es lo que está sucediendo. Ya no nos "estamos privando de algo"; estamos haciendo elecciones importantes. Estamos diciendo: prefiero estar en el mar, prefiero pensionarme temprano, mi elección es comprar un nuevo equipo estereofónico. Nuestro enfoque ha cambiado. Ya no sentimos lástima por nosotros mismos cuando decidimos no comprar un artículo que nos ha llamado la atención. Al contrario, decimos: "Elijo depositar estos $4.75 en mi cuenta de ahorros, para lo que realmente quiero". Deliberadamente, mantenemos ese dinero aparte hasta depositarlo en la cuenta con la meta apropiada. La vieja actitud de "Pobre de mí, no puedo disfrutar de palomitas de maíz en el cine" ha sido reemplazada por la de "Voy a comer algo antes del cine, de manera que pueda guardar los $2.50 que hubiera gastado en palomitas de maíz para mi 'Cuenta de la Riviera Francesa'". No nos estamos *privando* de las palomitas de maíz; ¡estamos *teniendo* unas vacaciones de primera clase!

Cómo diversificar $5

Cuando mi abuela vivía, me enviaba siempre un reluciente billete de $5 con la tarjeta de cumpleaños. Ya adulta, ponía el dinero en mi billetera y lo gastaba en comida, gasolina o algún artículo para la casa. Escribirle a mi abuela para darle las gracias era siempre difícil puesto que no había empleado el dinero en comprar algo para mí. No me parecía que podía escribirle: "Querida abuelita, gracias por ayudarme a alimentar a mi familia".

Cuando llegué a comprender el concepto de la diversificación, empecé a disfrutar de mi regalo de cumpleaños de $5. Me encantaba ver qué tanto jugo le podía sacar a ese dinero. Por ejemplo:

$2.00 para salir a un restaurante a disfrutar una ensalada o un emparedado.
$2.00 para un nuevo par de aretes.
$1.00 para el fondo familiar.

O:

$3.50 para una tarde en el cine.
$1.50 para el fondo familiar.

Durante los años en que estuve casada, generalmente recibíamos una devolución de impuestos. Mientras esperábamos la devolución, me sentía llena de expectación y le decía a la gente: "¡Este año el gobierno nos devolverá $500!"

Un día, por fin, llegaba el cheque de $500. No tardaba en sentarme a examinar las cuentas y terminaba destinando los $500 a pagarlas. El saldo de VISA variaba en forma casi insignificante, de $3 754.23 a $3 254.23. ¡Uf! Semanas de anhelante expectación desaparecidas en un instante. Y ¿qué hacía cuando, al día siguiente, necesitaba comprar una manguera de repuesto para la aspiradora, que costaba $70? Cargarla a una tarjeta, obviamente. Como no había ahorrado ningún dinero de la devolución de impuestos, no tenía más remedio. Este fue el ciclo de autodestrucción en el que me debatí durante diez años.

Entonces vino un cambio profundo. Cuando capté el sentido de la diversificación, di a los dineros de las devoluciones de impuestos un destino diferente. Mientras esperaba el cheque, planeaba varias maneras de dividir los $500. Una de ellas era algo así:

$100	Cuenta para emergencias.
$100	Viaje a Disneylandia y a la casa de la abuelita.
$ 25	Cuenta para la alfombra nueva.
$ 30	Cuenta "Ahora" para los niños.
$ 45	Salida familiar nocturna.
$ 50	Cuenta de Navidad.
$ 50	Fondo familiar para aliviar los tiempos de escasez.
$105	Ropa nueva.

¡Qué bien me sentía! Repartir el dinero para satisfacer tantas necesidades me producía un sentimiento de paz y control. Me sentía mil veces mejor que en todos esos años en que veía desvanecerse el dinero en el montón de cuentas. Descubrí que necesitaba diversificar tentativamente los $500 sobre el papel varias veces para llegar a un plan satisfactorio. Añadía o eliminaba categorías según planeaba y establecía prioridades. Cuando llegaba el correo con el cheque,.ya había decidido una forma extremadamente gratificante de diversificar el dinero.

Tim escribió: "Recibiremos nuestra bonificación anual el mes próximo, y repartiremos el dinero entre varias metas que queremos empezar a lograr. Sólo $485 de un total cercano a los $6 000 se irán en pagar cuentas. ¡Cuán positivo es esto! ¡Bravo!"

Por lo tanto, la próxima vez que reciba un dinero extra, ya sea de un regalo de cumpleaños, de una venta de garaje, de un descuento en un pago, de una devolución de impuestos, de la venta del automóvil o del mobiliario, de una herencia, de la devolución de un préstamo, tome una hoja de papel antes de hacer cualquier cosa con el dinero y empiece a diversificarlo de la manera que le resulte más satisfactoria. Funciona con $5, funciona con $500;

diversificar su dinero para atender todas sus necesidades y metas es un acto muy satisfactorio.

EL PODER DE UNA FUERTE SUMA DE DINERO

¿Qué haría la mayoría de personas si de pronto cayeran en sus manos $1 000 o $25 000? *Gastarlos*. Después de leer la siguiente historia y echar un vistazo al cuadro que viene a continuación, podríamos cambiar de manera de pensar.

Hace cerca de veinticinco años unos amigos míos heredaron $35.000. Recibieron el dinero exactamente después del nacimiento de su primer hijo e hicieron lo que muchos de nosotros hubiéramos hecho: comprar una casa.

Pero ¿qué hubiera ocurrido si hubieran dejado $1 000 invertidos durante los veinticinco años de crianza y educación de sus hijos? (El pago de la amortización de la deuda de la casa se hubiera incrementado en sólo unos pocos dólares más al mes.)

El siguiente ejemplo indica las tasas de interés que estaban a disposición de mis amigos durante los últimos veinticinco años.

		10 años	15 años	25 años	40 años
Al 6%	$1 000	$1 819	$2 454	$ 4 465	$ 10 954
Al 12%	$1 000	$3 300	$5 600	$19 788	$118 645

Si hubieran puesto $1 000 del dinero de la herencia en una cuenta de ahorros, al 6% de interés promedio durante los veinticinco años, ese dinero se habría convertido en $4 465. Pero si hubieran buscado el interés "seguro" más alto posible, en promedio 12%, esos $1 000 serían hoy $19 788.

Tendrían casi $20 000 en su bolsillo sólo por hacer el seguimiento de los $1 000 en esos años.

Pero ¿qué hubiera ocurrido si hubieran dado una modesta cuota inicial de $10 000 para la casa y hubieran depositado el resto del dinero heredado en una cuenta que devengara intereses?

		10 años	15 años	25 años	40 años
Al 6%	$25 000	$45 475	$ 61 350	$111 625	$ 273 850
Al 12%	$25 000	$82 500	$140 000	$494 700	$2 966 125

Sorprendente, ¿no es cierto? Si hubieran dejado en depósito $25 000 en el banco de la esquina estos últimos veinticinco años durante los cuales criaron y educaron a sus hijos, hoy tendrían $111 625 en efectivo. Sin sacar nada mensualmente de los ingresos familiares, sin molestarse, hubieran *obtenido más de cuatro veces la suma con la que empezaron.* Pero ¿cómo? Eso es lo que sucede cuando ahorramos una buena suma de dinero en lugar de gastarla. Y si se hubieran asegurado de obtener la más alta tasa de interés (en promedio, 12%), tendrían cerca de $500 000 hoy ($494 700). Estos $500 000 depositados hoy en el banco, al interés simple del 4%, proporcionaría a mis amigos un cheque anual por intereses de $20 000, por el resto de su vida. (Cuando apenas empezaba a ahorrar dinero, consignaba $100 cada mes en un certificado de depósito que devengaba entre el 15% y el 16% de interés. Como apenas estaba aprendiendo, no me percaté de la importancia de tomar un certificado de depósito a diez años, que me habría garantizado que mi dinero devengaría entre el 15% y el 16% en intereses durante los próximos diez años. Sin embargo, sí invertí mi dinero por el término de dos años y medio.)

Hace dos años, cuando tuve que dejar de depositar dinero en mi cuenta de anualidades exenta de impuestos, su monto era de $15 027. El extracto de este mes presenta un saldo de $17 539.70. Un aumento de $2 566. Esta cuenta ha estado creciendo a la tasa de $100 mensuales, por sí sola.

Marlow, un agente de bienes raíces, me escribió: "Permanentemente me encuentro con gente que acaba de vender su casa, tiene una suma importante de dinero y está dispuesta a invertir la totalidad en una casa nueva. Siempre supe que eso era una tontería, pero me era difícil explicar por qué: no lograba encontrar suficientes argumentos. Ahora, con la información que obtuve en su seminario y los cuadros que nos ha proporcionado, puedo ayudar a la gente a no cometer un grave error financiero".

RESUMEN

Diversificar nuestro dinero es una de las mejores maneras que conozco para hacernos la vida mucho más divertida, al mismo tiempo que logramos alcanzar nuestras metas. Nos sentimos tranquilos sabiendo que estamos preparados para posibles emergencias y nos llenamos de energía y esperanza al ver que nuestros sueños y metas se van realizando.

Recuerde cuán importante es ser concreto. Cuando decimos que estamos "ahorrando dinero" o "ahorrando para unas vacaciones", la idea es vaga e intangible, no es algo con lo cual vayamos a entusiasmarnos. Pero cuando transformamos la palabra *vacaciones* en el Caribe, Bermudas, Grecia, África o Nueva Zelanda, súbitamente revivimos. Tenemos un motivo para ahorrar, y de pronto queremos reunir todo el dinero que podamos.

Las sumas importantes de dinero se depositan en una cuenta que devengue intereses, y empiezan a crecer y multiplicarse por sí solas. Antes de gastar una suma importante de dinero, pregúntese: "¿Cuánto tiempo me tomaría volver a acumular esta cantidad nuevamente? ¿Cuántas ganancias en intereses sobre este dinero estaré perdiendo en el curso de los años, si lo gasto en vez de ahorrarlo?" Para la mayoría de las personas es difícil conseguir cantidades importantes de dinero. Si una cantidad grande de dinero llega a sus manos, *consérvela*.

CINCO

Mitos, juegos de dinero y algo más

Dígales que lo disfruten mientras puedan, no como nosotros. Cuando uno está en los ochenta, tiene el dinero pero no puede ir.

— Katherine Keeffe Johnson

Denomino *mito* aquellas cosas que *suponemos* ciertas, aunque no haya al respecto una norma escrita ni uniforme. Por ejemplo, un mito en que creí durante años era que la gente no tenía sino una cuenta de ahorros. Nunca se me ocurrió abrir múltiples cuentas de ahorros. Suponía que todo el mundo tenía una cuenta corriente y una de ahorros.

MITOS

Espero que, al examinar los siguientes mitos, usted empiece a preguntarse qué otras pautas han guiado su vida y que descubra en dónde ha estado funcionando con base en "supuestos". Lo invito a volver a analizar sus ideas, sentimientos y opiniones acerca de éstos y los demás mitos que pesan en su vida, y a que vea si puede encontrar opciones que nunca antes había tenido en consideración.

(Recuerdo el día en que coloqué una cómoda en el vestíbulo de la casa. Fue una decisión difícil de tomar, porque siempre había tenido el mito de que el lugar para una cómoda era la alcoba. Pero se veía bien ahí y solucionaba un problema de espacio.)

Tómese el tiempo necesario para descubrirlo usted mismo. ¿Hay mitos que lo están gobernando, o está usted tomando en consideración lo que realmente valora en la vida y decidiendo en consecuencia cómo actuar? (Lo que debemos hacer es darle siempre la vuelta a las cosas: estar siempre buscando, más allá de los supuestos, lo mejor para nosotros.) Todos merecemos calidad y satisfacción en la vida, pero éstas no llegarán por sí solas: tenemos que decidirnos a obtenerlas.

Mito número 1: Debemos tener casa propia

Cuando me volví adulta, lo escuchaba casi en todas partes: "¿Cuándo va a comprar una casa? Adquirir una casa es la mejor inversión que usted puede hacer. No irá a tirar su dinero en alquiler, ¿o sí?" No recuerdo discusiones acerca de los pros y los contras de comprar o tomar en alquiler. Se *suponía* que comprar era lo que debía hacerse. El mito completo era así: "Usted crece, consigue un buen trabajo, se casa, compra una casa y tiene hijos". Nunca tuve ninguna duda de que debía comprar una casa; lo que me preguntaba siempre era *cuándo* iba a comprarla.

Gran parte de las ideas que recibimos en la vida son como ésa. Nos trazan determinada línea ideológica y empezamos a comportarnos como si la única vía fuera ésa.

Infortunadamente, una vez que hemos sido condicionados, no es probable que cuestionemos lo que hemos aprendido. "La idea de desafiar conceptos preconcebidos tales como 'debo comprar una casa' fue para mí revolucionaria, además de liberadora", dijo Marina.

Dada la conformación actual de la economía y la sociedad, y dada nuestra individualidad, no podemos suponer que comprar una casa sea el camino "correcto". Recuerdo que Mary nos contó en un seminario: "Mi esposo y yo sólo fuimos dueños de la casa durante seis meses y luego la vendimos. Ambos trabajábamos muchas horas, batallando permanentemente, y nunca teníamos tiempo para disfrutar de un poco de solaz con nuestro niño. Pensábamos que habíamos comprado la casa por él, pero finalmente comprendimos que ya no teníamos ni tiempo ni energía para dedicarle a él. Nuestra vida entera se centraba en cómo conseguir el dinero para pagar la cuota de la casa y, además, para costear nuestra subsistencia".

¿Cuántas veces la calidad de la vida se arruina debido a la presión que proviene de tener que producir una abultada suma de dinero para la cuota de una casa (para no hablar del dinero para el tejado nuevo, los problemas de fontanería, el mantenimiento del jardín, los insecticidas y plaguicidas, la reparación de la calefacción y los impuestos)?

¿Qué es mejor: ser dueño de una casa o tomarla en alquiler?, es una pregunta que nos hacemos a lo largo de la vida. A medida que nuestras necesidades cambian, cambia también el tipo de vivienda que necesitamos. Tenemos que resolver cuidadosamente qué es lo mejor para nosotros con base en nuestro estilo de vida, nuestras finanzas y nuestros valores. Al principio, muchas personas que asistían a mi seminario sobre el dinero no pensaban que comprar fuera ni remotamente posible, teniendo en cuenta su situación financiera. Cuando hablé con Mary, con cincuenta y seis años de edad, dos años después, he aquí lo que me dijo: "Antes de asistir a su seminario, me sentía entrampada con mis cuentas. Las perspectivas de mi vida eran bastante sombrías. Usted señaló un punto que me produjo impacto, cuando preguntó: '¿Cuál es su sueño? Si es importante tener una casa, entonces está bien: concéntrese en eso. Si es importante viajar y no gastar demasiado en vivienda, entonces concéntrese en eso. Póngase al corriente de lo que es realmente importante para usted'. Yo vivía en el sótano de una casa agradable en una zona agradable, pero no era el lugar en el cual quería pasar el resto de mi vida. Ni siquiera pensaba en la posibilidad de comprar. En ese momento, me decía: 'Si no se tienen dos ingresos, comprar en esta ciudad es imposible. Estoy condenada a pagar alquiler'. Tal era el cuadro en ese momento.

"Por casualidad, conversando un día con alguien, le dije: 'Cuánto quisiera poder tener un lugar propio, pero simplemente no puedo hacerlo'. Me dijo que había visto una casa muy bonita que vendía un fondo oficial. Parecía factible comprarla. Empecé a buscar la manera, definí una meta y empecé a ahorrar. Aprendí a tomar mi sueldo, pagarme a mí misma y *entonces* girar los cheques de las cuentas. Lo que queda es con lo que tengo que vivir. Muy pronto mis ahorros se acercaban a los $1 000, y me dije: '¡Esto es realmente emocionante!'

"En año y medio he ahorrado cerca de $10 000. Me estaré mudando a mi condominio el diecinueve de este mes. Tengo cincuenta y seis años, y cuando vine aquí la vida me parecía sin perspectivas ni esperanzas. Incluso cuando estuve en su clase, hace dos años, lograr esa meta me parecía casi imposible. No fue fácil. Soy la primera en reconocerlo. Pero ver que mi meta podía realizarse fue mi esperanza. Y no me volví avara. Probablemente hubiera podido ahorrar más, pero me obsesiona pagar en efectivo. Si compraba algo, pagaba en efectivo".

Antes de salir corriendo a invertir mucho dinero en comprar una casa o antes de descartar la idea de que "nosotros nunca seremos propietarios", es necesario no dejar de preguntarnos: "¿Qué clase de vivienda es la que más me conviene en este momento de mi vida?"

Valerie nos dijo: "Un compañero de trabajo y su esposa retiraron $10 000 de su cuenta para jubilación, a fin de utilizarlos como cuota inicial para comprar una casa. Antes lo veía salir a esquiar los fines de semana; ahora lo veo completamente estresado. Los días de pago son cada vez peores, pues, tras esperar el cheque del sueldo, ha de preocuparse por calcular los impuestos y por el pago de la hipoteca. Pasó de pagar $450 mensuales de alquiler a abonar mensualmente $1 200 a la hipoteca, además de pagar cuotas de dos automóviles y de tener un niño. Lo miro y pienso: 'Estoy contenta de no haber hecho lo mismo'". Es una situación triste pero también muy común: la calidad de vida de tres personas se está erosionando, todo debido a las cuotas de una casa.

Lo invito a evaluar cuidadosamente sus necesidades de vivienda, tanto emocionales como financieras: ahora y a lo largo de su vida. Un amigo me dijo hoy que se dedicaría a trabajar más duro y más horas, con la esperanza de lograr quedarse con su casa después de divorciarse. Me sentí apesadumbrada al verlo trabajar más horas, con creciente estrés, todo por seguir siendo propietario, en una época de su vida en la cual necesita desesperadamente aliviar sus presiones emocionales y financieras.

Karen llegó a la segunda clase del seminario encantada con la noticia de que había alquilado un apartamento por $200 menos de lo que había pensado, gracias a lo que habíamos analizado en la clase anterior. Antes de la clase, había estado buscando en los anuncios algo dentro de la escala de precios que podía pagar, de acuerdo con su salario. Después de la clase, empezó a buscar un apartamento que respondiera a la calidad de vida que realmente quería. No sólo tendrá Karen $200 más al mes (o sea $2 400 al año) para ahorrar y diversificar para sus metas, sino que también, según nos dijo, su nuevo apartamento, aunque un poco más pequeño que el anterior, "¡tiene una vista espectacular de ciento ochenta grados sobre el agua!"

Repetidamente oigo que las parejas dicen: "Nos gustaría que uno de nosotros pudiera estar en la casa con los niños, pero ambos tenemos que trabajar para lograr salir adelante". Muy a menudo, esto es un mito más que una realidad. Hace años leí que los primeros $10 000 de más que se gana el segundo cónyuge que comienza a trabajar se gastan en pagar el cuidado de los niños, el transporte, la ropa para el trabajo, mayores costos de alimentación (comidas empacadas, costosa alimentación y más frecuentes salidas a restaurantes a causa de la ansiedad y el cansancio), cuentas médicas más altas debidas al aumento del estrés, etc. Muchas veces pensamos que estamos trayendo más dinero a casa, cuando, en realidad, estamos creando más cuentas además de mayor estrés y perdiendo además los momentos de solaz en familia.

T.J. y su esposo viven conscientes de lo que más valoran. "John y yo hemos hablado y hablado acerca de cuánto dinero necesitamos, como familia, para vivir cómodamente. John ha permanecido en el hogar durante casi dos años y estamos educando a nuestras dos hijas en la casa. Yo trabajo cuatro turnos nocturnos a la semana como enfermera (treinta y dos horas) y, en este momento, ¡nos sentimos ricos!"

¿Qué quiere *usted* realmente? ¿Trabajar cuatro días a la semana? ¿Estar en casa con sus hijos? ¿Tener más tiempo para descansar? ¿Estar libre de las responsabilidades del sostenimiento de una casa? ¿Tener un lugar propio? Una vez que sepa lo que realmente le interesa a usted, entonces puede buscar la manera de hacerlo realidad. En lo que a mí respecta, me siento inmensamente satisfecha de haber decidido que estar en el hogar con mis hijos era prioritario.

Cuando se trata de evaluar los pros y los contras de ser propietario o inquilino, hay muchos puntos que deben tenerse en cuenta. Muy a menudo el consejo profesional que nos dan está basado en beneficios a largo plazo. Este modo de ver las cosas puede impresionarnos en el papel, pero pasa por alto las necesidades emocionales que hacen la vida satisfactoria y agradable *hoy*. Un buen ejemplo es pagar extra o el doble en las cuotas de hipoteca de la casa. Ciertamente pagar más hará que la deuda quede saldada más rápidamente y, posiblemente, puede reducir los pagos de intereses en decenas de miles, ¿pero qué le ocurre a la calidad de vida mientras tanto? En mi caso, necesito el dinero hoy. Mi más alta prioridad ahora es tener recursos para proveer de lo necesario a mis dos hijos adolescentes y a mí misma, no acabar de pagar la casa más rápidamente.

He aquí lo que decidió Patricia al objetar el plan que se le ofrecía: "Hemos reconsiderado los abonos extras al préstamo para nuestra casa. Más bien ahorraremos y diversificaremos nuestro dinero para disfrutar más de la vida ahora. Nos hemos detenido a aspirar la fragancia de las rosas antes que el invierno llegue a nuestra vida y las rosas ya no estén".

Debemos preguntarnos si nos conviene ir por donde vamos. Si una decisión parecía buena en el momento en que la tomamos, eso no implica que siga siendo buena para nosotros hoy. Muy a menudo pensamos que por haber tomado determinada decisión, debemos persistir en ella. Esto no es cierto. La decisión más afortunada, tanto a corto como a largo plazo, puede ser cambiar de parecer.

Mito número 2: La gente se retira a los sesenta y cinco

¿Por qué la mayoría de la gente trabaja jornada completa hasta los sesenta y cinco años o más? Porque no tiene dinero suficiente para jubilarse antes. Lo cierto es que la jubilación no tiene nada que ver con la edad; tiene que ver con la independencia económica: con tener el dinero para decidir si se trabaja y, en ese caso, en dónde y cuándo.

Para mí fue maravilloso descubrir que podía escoger mi edad de "jubilación". (Por "jubilación" entiendo simplemente tener el dinero para decidir si trabajo o no.) Cada cual tiene lugares a donde ir, cosas que hacer, personas en quienes influir, pasiones que cultivar, todo lo cual podría hacerse libremente si no hubiera que trabajar todos los días sólo para poder subsistir. Por lo tanto ¿cuál es la edad de jubilación? Cualquier edad que escojamos. Todo lo que necesitamos hacer es ahorrar el dinero que nos dará la libertad de elegir.

Mito número 3: Todas las familias tienen dos automóviles

Lo esencial, en lo que se refiere a los automóviles, es que son un medio para trasladarnos de un lugar a otro. Sin embargo, la publicidad ha llevado a mucha gente a creer que el motor y el metal que están frente a la casa reflejan quiénes somos. La reputación, la posición social, el encanto personal, el orgullo, el prestigio, el poder y la valía han venido a confundirse con el hecho de transportarnos de la casa al supermercado. Es de gran ayuda ser conscientes de este fenómeno para poder decidir basándonos en lo que realmente queremos y no en lo que pensamos que debemos hacer para obtener la aprobación de los demás.

En mis seminarios suelo preguntarles a los participantes cómo hubieran podido llegar allí si no hubieran tenido acceso a un automóvil. En un seminario en Seattle, la mayoría de los asistentes dijeron que a pie, en bicicleta, consiguiendo en la calle alguien que los llevara o tomando un autobús. Rara vez mencionó los medios más comunes en esta ciudad: taxi, transporte colectivo o automóvil alquilado. "¿Alquilar un automóvil? ¿Tomar un taxi? No puedo permitírmelo", fue lo que generalmente contestaron.

Poco después de haber asistido al seminario, Nora me envió una nota que decía: "Me pregunto si vale la pena llamar a mis acreedores y pedirles una prórroga de un mes. Temo hacerlo, pero nos ayudaría mucho. No hemos podido ni siquiera pagarnos a nosotros primero, porque no hay ningún dinero extra".

Su situación económica sonaba bastante desesperada. Una llamada a Nora sacó a relucir dos cuotas para automóviles nuevos, una de $378 y otra de $319. Es increíble. ¡Casi $700 botados por la ventana cada mes! No me sorprende que no haya dinero para alimentación ni bombillas, y menos aún para pagarse a sí mismos primero.

Lo que sí me sorprende, más aún que ver la manera como la gente sobrepasa sus medios, es el concepto que la mantiene en la trampa. Mientras hablaba con Nora, me explicó que vender su automóvil ahora no tenía sentido, puesto que sólo quedaban catorce cuotas por pagar. ¿Sólo? Inmediatamente calculé: $378 × 14 = $5 292. Era lo que faltaba pagar, y eso ¡solamente por un automóvil! Es difícil imaginar a una familia luchando durante catorce meses más, todo por las cuotas de un automóvil. (Después de conocer este caso, quiero más que nunca a mi económico automóvil de $2 200, modelo 1981.) Si Nora decidiera vender su automóvil, podría comprar uno de segunda mano excelente, probablemente le quedaría efectivo en el bolsillo y tendría $378 más en la cuenta familiar cada mes durante los próximos catorce meses. ¿Qué decidiría usted?

Lo curioso es que muchos piensen que no "pueden permitirse" tomar un taxi o alquilar un automóvil. ¿Cuántas veces durante un mes podría Nora alquilar un automóvil de segunda mano o tomar un taxi sin llegar siquiera cercanamente a la cifra de la cuota de su automóvil, para no mencionar los costos de la licencia, los seguros, los neumáticos y las reparaciones? (Yo pago $12 diarios cuando alquilo un automóvil de segunda mano.)

Judy dijo: "He estado sin automóvil cerca de un año y no he tenido problema. Si necesitaba ir a algún lado el fin de semana, alquilaba un automóvil. Lo alquilaba con mi tarjeta American Express, porque así quedaba cubierto contra cualquier riesgo y recibía una cuenta detallada. La cuenta total por alquiler de automóviles en el año fue de $383.

"Por entonces mi hija cumplió dieciséis años y quería un automóvil, porque todos sus amigos tenían uno. Cuando me insistió por segunda vez, me di por vencida. El día en que recogí el automóvil tuve que pagar $100 por la licencia. Debido a que mi hija era menor de dieciocho años, el seguro costó $600 (aunque obtuvo una buena calificación en el examen). Tan sólo al recoger el automóvil, había gastado cerca de $800, sin incluir lo que me vería obligada a gastar en mantenimiento, gasolina y todo lo demás. Si no hubiera pasado por esto, no lo hubiera creído. No sólo era bastante más barato no tener automóvil propio, sino que podía planificar mejor mi vida. Cuando quería ir de compras, alquilaba un automóvil o caminaba hasta el supermercado y tomaba un taxi al regreso. Mi vida era mucho más agradable. Tenía dinero para otras cosas. Ahora este automóvil me estaba limitando y me sentía muy molesta con eso".

Yo, realmente, me considero afortunada por no haber tenido sino un automóvil durante los primeros dieciocho años de matrimonio. (En ese momento mis padres nos dieron el de ellos cuando compraron un modelo más reciente.) ¿Por qué fui afortunada? Porque tuve la oportunidad de experimentar la libertad de no tener un automóvil a mi disposición. Si mis hijos estaban enfermos, llamaba un taxi para ir a la clínica. Nunca tuve problema. En caso extremo, mis estupendos vecinos me prestaban su automóvil o su camioneta. Siempre tuve la manera de llegar a donde necesitaba ir. No tener automóvil a mi disposición me permitía sentirme libre para permanecer en casa y solazarme con mis hijos. Mucha gente exclama: "¡Oh no! Yo no podría vivir sin mi automóvil". Eso ocurre a menudo, porque no tienen idea de la libertad que experimentarían. Si se le acaban los sellos de correo o el jugo, no usa su tiempo precioso, su energía y su gasolina para ir por un solo artículo. Usted descansa y hace planes. Sabe que va a alquilar un automóvil el miércoles, y ese día hará sus diligencias. Piense en las veces en las cuales ha estado sin transporte o en que su automóvil ha estado en el taller. Una vez que se resignó a quedarse en casa, muy probablemente probó el sabor de la libertad.

"Mi grado de consciencia aumentó gracias a la exposición que usted hizo sobre el costo real de tener un [segundo] automóvil u otras comodidades — dijo Ellen —. El costo de tener y hacer funcionar un automóvil hoy día es impresionante (para no mencionar el daño que se le está haciendo al medio ambiente)". Muy a menudo los automóviles son una fuente de tensión en nuestra vida. El costo de tener y mantener un automóvil consume un dinero que hubiera podido servir para otras necesidades y diversiones, y son muchas las veces que ocupamos nuestros días yendo y viniendo de un lado para otro sólo porque podemos hacerlo. Ellen continuó: "Ahora, ciertamente, me pregunto si ese pequeño lujo se justifica al compararlo con los elevados costos de mantenimiento".

Durante la próxima semana deténgase y obsérvese: ¿Qué nota usted? ¿Está planeando cuidadosamente y tomando decisiones conscientes sobre el tiempo, la energía y el dinero que invierte en transporte?

Mito número 4: Éste es mi destino en la vida. Siempre estaré tratando de que alcance el dinero

Durante años me sentí dividida interiormente. Parte de mi cerebro decía: "Carol, usted vive en los Estados Unidos de América. Usted puede ser lo que quiera ser. Puede hacer cualquier cosa que desee hacer. Puede ser dueña de un negocio; puede ser candidata a la presidencia de su país. Una parte de mí se sentía abierta a posibilidades ilimitadas, mientras la otra parte decía: "Pobre de mí, éste es mi destino en la vida. Siempre estaré tratando de que el dinero alcance". ¿Y en lo que respecta a usted? ¿Qué está pasando por su mente? ¿Se ha dado por vencida una parte de usted? ¿O está usted decidido a ser el dueño de su dinero y de su vida y a hacer de ella lo que quiere que sea?

JUEGOS DE DINERO: CONSEGUIR DINERO PARA SUS SUEÑOS ES TAN FÁCIL COMO JUGAR

Probablemente usted ha estado preguntándose en dónde va a conseguir el dinero para lograr todas sus metas. A continuación encontrará veinticinco juegos de dinero para ayudarlo a empezar. Cada juego proporciona el incentivo en forma divertida o creativa para que descubra dinero para sus metas. Como Lynn, si prueba con algunos de estos juegos, también usted dirá: "El dinero viene hacia mí ahora".

1. El juego del cambio. Éste es, con mucho, el más popular y el más exitoso de los juegos. Vea la página 13 del capítulo 1, en donde encontrará una explicación completa sobre el juego del cambio.

2. El juego del dinero hallado o del dinero extra. La idea de este juego se me ocurrió, como último recurso, cuando estaba tratando desesperadamente de inventar una manera de llevar a mis hijos a Disneylandia antes que dejaran de ser niños. Recuerdo que abrí una cuenta para ese viaje a Disneylandia con $35 del dinero de Navidad.

Nueve meses después la cuenta tenía todavía cerca de $35 (algo más, por los intereses). Me sentí frustrada. No podía encontrar ninguna manera de sacar más dinero de nuestro ingreso mensual. Finalmente empecé a reunir todo el "dinero hallado" y a destinarlo a esta cuenta. El dinero "hallado" o "extra" era el efectivo que recibía en un cumpleaños o en regalos de Navidad, o en cupones, regalos, reciclaje, devoluciones de almacenes o cualquier otro dinero inesperado que apareciera en mi camino. Nueve meses después de empezar el juego del dinero hallado, hicimos las maletas y nos fuimos en el automóvil para Disneylandia.

3. El juego de la elección. Este juego surgió tan pronto como comprendí que tan sólo $3 en ahorros diarios se convierten en $1 095 al año. Lo que empezó a ocurrir es que si veía un pequeño artículo en el almacén (unos aretes, una chuchería, un juguete para los niños, una golosina) que en el pasado hubiera comprado sin pensarlo, ¡ahora, veía ese artículo como si su precio estuviera fuera de mi alcance!

Esta nueva toma de consciencia me condujo al juego de la elección. Ahora, cuando me siento tentada por un pequeño artículo sin importancia, me pregunto: "¿Qué prefiero: tener ese objeto o colocar ese dinero en mi caja de los sueños y alcanzar antes mi meta?" Lo maravilloso es que no hay sentimientos de culpa o de privación si no compro el artículo; en realidad, es divertido y emocionante hacer la elección de llevar el dinero a casa y depositarlo en mi caja de los sueños para algo que realmente quiero.

Matt dijo que hacía tres años y medio había resuelto no comprar más su almuerzo (cerca de U$4 al día), a fin de contribuir a la economía familiar. Estaba furioso y se sentía engañado, porque no se había producido ninguna diferencia en la suma de dinero que tenían ni en la calidad de su vida, como resultado de su sacrificio. Se sentó en la clase y calculó que tres años y medio de llevar el almuerzo al trabajo significaban $4 por 5 días en la semana por 50 semanas al año, o sea: ¡$3 500! Matt hizo la elección de llevar su almuerzo pero olvidó darle otro destino específico al dinero. No se ahorra ningún dinero a menos que efectivamente lo ahorremos. La clave de nuestro éxito reside en cómo nos sentimos. Al adoptar la nueva actitud de "sentirnos muy bien respecto al dinero", estamos diciendo adiós a nuestras emociones negativas, como "prescindir de algo" o "abandonar algo", y nos estamos recompensando con el resultado obtenido con nuestras nuevas elecciones.

4. El juego del cajero automático. Patricia dijo que acostumbraba parar en un cajero automático todos los viernes por la noche y retirar $20 para gastarlos con sus amigos. Ahora sigue retirando $20 del cajero automático, pero su meta es que le sobre la mayor cantidad de dinero posible, al final de la noche, para guardarlo en su caja de los sueños.

5. Trabajar horas extras para una meta. ¡Hay diferencia en nuestra energía y actitud si sabemos que el pago de nuestras horas extras servirá para nuestras metas y no para nuestras cuentas!

6. Un trabajo extra o dinero de nuestros pasatiempos para nuestras metas. Una vez que empiece a hacer la lista de sus sueños y metas, va a querer inventar más y más maneras de hacerlos realidad. Yo acepté repartir en mi sector un periódico de la localidad todos los miércoles, a fin de conseguir dinero para comprar un sofá para dos. ¿Qué forma(s) encontrará usted de crear algún ingreso extra y conseguir fondos para sus metas?

7. El juego del saldo de la chequera. Esta idea es divertida, puede llegar a sumar bastante dinero y simplifica la forma de llevar su saldo. Cuando gire un cheque en el supermercado por $65.17, registre esta suma como siempre lo ha hecho. Por ejemplo:

Cheque Nº	Fecha	Artículo	Monto del cheque	Saldo
1756	2/26	Víveres	$65.17	$123.00
				- 66.00

Pero, al restar, redondee la cifra así: de $65.17 a $66.00 (vea el ejemplo). Esto facilita las restas y cada vez que gira un cheque ahorra algo de dinero. Después, cuando se siente a conciliar la chequera, puede restar las cifras "reales". El dinero extra ahorrado es para su meta.

8. El juego del cambio con la chequera. Antes de girar un cheque para hacer una compra, redondee la cifra. Por ejemplo, si el artículo que está comprando cuesta $43.21, gire el cheque por $44.00. El cajero le dará 79 centavos de cambio. Lleve este dinero a casa y asegúrese de que llegue a su caja de los sueños.

9. El juego de las dos cuentas bancarias. Éste es uno de los juegos con mayor acogida entre quienes odian conciliar la chequera con el extracto bancario. Dave explicó cómo lo hace: "Utilizo una cuenta bancaria durante tres meses. Entonces dejo de usarla, para que cobren todos los cheques que he girado y saber, más tarde, cuánto dinero tengo en esa cuenta. Mientras tanto, uso mi otra cuenta durante los siguientes tres meses". Ingenioso. Este modo de actuar no sólo elimina la angustia y el sentimiento de culpa que nos causa el hecho de no llevar el saldo de la chequera, sino que también nos proporciona una nueva fuente de ingresos para nuestras metas, porque tendremos que mantener dinero extra en la cuenta para evitar costos por sobregiro. Al final de los tres meses, cuando conocemos el saldo, podemos transferir todo el dinero "extra" directamente a una de nuestras metas.

10. El juego de la cuenta con dos firmas. Cierta vez que viajé a visitar a mi hermana menor, Shari, ella decidió que quería que la ayudara a ahorrar. Fuimos juntas al banco y dijimos que queríamos abrir una cuenta de ahorros con dos firmas. La joven que nos atendió consiguió los formularios necesarios y empezó a hacer preguntas. Cuando le di mi dirección, a 480 kilómetros de distancia, su sonrisa se transformó en un gesto de alarma y le dijo a mi hermana: "Oh, entonces usted no querrá una cuenta con dos firmas, porque no podrá retirar dinero sin la firma de su hermana". Con una amplia sonrisa, mi hermana asintió: "Lo sé". Este juego requiere que un amigo o un pariente nos ayude a lograr nuestras metas.

11. El juego canadiense del dinero. Como vivimos bastante cerca de la frontera canadiense, frecuentemente nos dan cambio en monedas de esa nacionalidad. Disfrutamos ahorrándolas para tener dinero para diversión cuando visitamos la Columbia Británica.

12. El juego de la cuenta para pagar préstamos. Algunas veces, cuando nos hacen un préstamo, abrimos una cuenta de ahorros para facilitar la operación de los pagos. Entonces, cuando depositamos el dinero para cubrir la amortización del préstamo, incluimos dinero extra. El dinero adicional se acumula con intereses mientras pagamos el préstamo: una manera más de ahorrar algo de dinero para una meta.

13. El juego del porcentaje. Utilizar porcentajes para ayudar a diversificar nuestro dinero es divertido y muy satisfactorio. En vez de depositar cierta cantidad de dinero para una meta todos los meses, ahorre un porcentaje. Por ejemplo, usted puede decidir depositar 60% de todo el dinero "hallado" en su cuenta para vacaciones y 40% en el fondo para emergencias. O, en lugar de $20 al mes depositados en una cuenta para muebles nuevos, podría ser el 1% de cada sueldo. Utilizar porcentajes es muy eficaz y satisfactorio para quien trabaje por cuenta propia, reciba comisiones o desempeñe temporalmente un empleo. Juegue con la idea del porcentaje y vea si se le ocurren ideas creativas que le ayuden a lograr sus metas.

14. El juego de la nueva decisión. Mantenga los ojos abiertos ante cada oportunidad que se le presente de tomar una nueva decisión respecto a su dinero. Si es el momento de renovar la suscripción de una revista o la asociación a un club, puede decidir que prefiere destinar ese dinero a sus metas. Es su decisión.

15. El juego de poner y sacar. Mi hijo se inventó este juego. "Haga sus compras como normalmente las hace — dice él —, reuniendo todos los artículos que compra regularmente. Pero antes de dirigirse a la caja registradora a pagar, dedique un momento a revisar su selección. Si decide que hay algunos artículos que no quiere realmente, devuélvalos, pero inmediatamente tome la suma exacta que habría gastado, guárdela en su bolsillo y llévela a casa para su caja de sueños".

16. Diversifique el juego del cambio. Lo adivinó: las monedas de veinticinco centavos para una meta, las de diez para otra, las de cinco y uno para la tercera y cuarta, o cualquier combinación que usted elija.

17. El juego de la ropa para lavar. Cuando usted practica este juego, los fondos para su meta provienen del dinero que encuentra en los bolsillos cuando alista la ropa para lavarla. Después del nacimiento de su hijo, una señora empezó a poner todo el "dinero de los bolsillos" en una caja situada junto a la lavadora. El día del matrimonio de su hijo le regaló todo el efectivo que había puesto en la caja durante todos esos años.

18. Competencia amistosa. Ahora que se está concentrando en sus metas, puede querer aumentar su eficiencia y su incentivo compitiendo con un compañero de trabajo o con un amigo. Saber que en cada día de pago se va a "comparar el progreso" puede impulsarlos a conseguir más rápidamente sus metas.

19. Situar su caja de los sueños en un buen lugar. Podría sorprenderse al saber cuán dispuestos están sus parientes y amigos a deshacerse de su cambio. Facilíteles la tarea de ayudarlo a lograr sus metas dejando su caja de los sueños debidamente rotulada, en un lugar visible. (Recuerde que el cambio crece rápidamente. Protéjase empacando su dinero regularmente y depositándolo en su cuenta, para que devengue intereses.)

20. Adquirir un buen hábito (o abandonar un mal hábito). Este juego le ofrece la oportunidad de darse una palmadita en la espalda. Tal vez ha dejado de decir palabrotas, de fumar o de beber. Cada vez que usted tome una buena decisión, recompénsese (por ejemplo, deposite una moneda para su meta). O, si está adoptando comportamientos más saludables, tales como caminar veinte minutos al día o comer más verduras, apláudase y deposite algo de cambio por cada éxito. En el seminario, un día Debbie dijo: "La gente me ha dicho que debiera recompensarme con ropa nueva por haber dejado de fumar, ¿pero de dónde se suponía que iba sacar el dinero para celebrar? ¡Ahora ya lo sé!"

21. Centavos para invertir. Hace varios años un informativo de la noche mostró a un hombre y una mujer remolcando hacia el banco un vagón rojo. Estaban transportando más de $2 000 en monedas de un centavo para emplearlos como cuota inicial de una casa. Laura sugirió que durante los próximos años, mientras formamos nuestros fondos de seguridad y adquirimos control sobre nuestro dinero, tenemos una buena oportunidad de ahorrar las monedas de un centavo para invertirlas. Los centavos ahorrados durante años son perfectos para "arriesgarnos por primera vez a invertir en el mercado de valores. (Incluso si perdemos todo el dinero, probablemente no perderíamos el sueño.)

22. El juego de los tres días de espera. Algunas veces cuando estoy en un almacén, me antojo de determinado artículo. Para asegurarme de que estoy haciendo una buena elección y no una compra compulsiva, dejo el artículo en la talega cuando llego a casa, en un lugar visible. En poco tiempo, algo sucede. Me alegro de haberlo comprado y sale de la talega, o, a medida que pasan los días, me doy cuenta de que lo que realmente necesito es el dinero y, entonces, voy y lo devuelvo.

Otra oportunidad de jugar a los tres días de espera se presenta cuando veo en el periódico un anuncio de rebajas. En vez de correr al automóvil e irme a comprar, he aprendido a fijar el anuncio en la puerta de la nevera y esperar. Generalmente, al tercer día he comprendido que el artículo no era una prioridad y tiro el anuncio a la bolsa de materiales para reciclar.

23. El juego de igualar fondos. El concepto de equiparar fondos puede aplicarse a cuanta forma creativa se le ocurra a usted. Mary Ann dijo: "Decidí que mi único lujo era tener una empleada del servicio doméstico y que, si podía dedicar X suma de dinero a esto, también debiera poder dedicar por lo menos una suma igual a mis ahorros. Me ha tomado un lapso cercano a los seis meses llegar a igualar la suma que le pago a la empleada, pero por fin lo logré".

Otra forma de "igualar" es con sus hijos. Recuerdo cuando mi hijo se encaprichó con el juego de última moda, el que "todos" los demás niños estaban jugando. Sin dejarme impresionar por el juego ni por el costo (casi $100), le dije que no se lo compraría. Finalmente, hicimos un trato. Si él se ganaba la mitad del dinero, yo pondría la otra mitad. Fue un incentivo estupendo y, en poco tiempo, tuvo el juego.

24. El día de duplicar. Un padre que asistía a mi seminario compartió este juego con nosotros. Un día cualquiera del mes les anuncia a sus hijos: "Hoy es el día de duplicar". Los niños le muestran cuánto dinero han ahorrado y él duplica esa suma. ¡Qué gran incentivo para que los niños aprendan a ahorrar!

25. El mejor juego de todos. Asegurarse de que el dinero difícilmente ganado se esté destinando cuidadosa y conscientemente a lo que usted más valora.

Recordatorio. El dinero menudo va aumentando rápidamente. Un frasco de maní o de mayonesa puede fácilmente contener $100 o más. Usted querrá contar y envolver su cambio cada pocas semanas para sentir la emoción del nuevo total, para sentir que el sueño se está volviendo realidad y para llevar el dinero a la caja de ahorros, en donde podrá estar más seguro que en casa y, además, devengará intereses.

CONSEJOS PARA HACER COMPRAS

✦ **¿Cuántas horas?** Antes de gastar nuestro dinero, podríamos preguntarnos: "¿Cuántas horas gasté trabajando para ganar el dinero para pagar por esto?" O, para decirlo de otra manera: "¿Trabajaría medio día (o el tiempo correspondiente) si este artículo fuera mi recompensa al final?"

✦ **Esté libre de preocupaciones.** De vez en cuando, haga una salida sin dinero, ni cheques, ni tarjetas de crédito. Fíjese en qué piensa y siente. Puede ser una experiencia que le abra los ojos. Puesto que no puede comprar nada, se sentirá libre de mirar, relajarse y, tal vez, darse cuenta de gente, lugares y artículos que nunca antes había notado.

✦ **No esté de afán.** A menudo, cuando nos damos cuenta de que no tenemos pilas, necesitamos una bombilla o se están acabando los víveres, nos vamos para el supermercado sin pensar. Una buena manera de reducir el estrés y conservar más dinero en su bolsillo es desacelerarse y *programar* las diligencias. Una pauta puede ser tener por lo menos tres diligencias que hacer o un mínimo de cinco artículos que comprar antes de salir. (Nuestras sabias decisiones mejoran nuestra vida: estamos dedicando más tiempo a detenernos para aspirar la fragancia de las flores.)

✦ **Sea creativo.** Generalmente, esperamos hasta que las circunstancias nos fuercen a ser creativos (como cuando llegamos sin cubiertos a una merienda o cuando tenemos que preparar una cena y no hay electricidad). Ahora, podemos *decidir* ser creativos. En vez de emplear el tiempo y el dinero en comprar cualquier cosa que nos guste, podemos dedicar tiempo y dinero a adquirir lo que realmente queremos. Por ejemplo, tal vez decida que su costumbre de comprar suavizador para la ropa es un lujo. Entonces, tome ese dinero y destínelo a una de sus metas.

✦ **Compre de rebaja en rebaja.** Lo ideal es comprar suficiente cantidad de un artículo cuando está rebajado, para que dure hasta que vuelva a estar rebajado. Al comienzo, parece que no vamos a ser capaces de hacer esto. Sin embargo, es totalmente realizable, porque esta semana compramos ocho latas de jugo de naranja congelado pero no compramos ni aceitunas ni salsa de tomate. La siguiente semana, la salsa de tomate está rebajada y compramos suficiente para que dure seis semanas o hasta la próxima rebaja. En vez de comprar un poco de cada cosa a precios altos, compramos suficiente cantidad de los artículos rebajados que necesitamos, para que nos duren hasta la próxima rebaja. ¿Cuál es el beneficio? Al comprar con rebaja, podemos reducir nuestra cuenta de alimentación en 30%. En otras palabras, una cuenta mensual de $340 puede reducirse a $238; eso quiere decir que tendremos $102 extras para nuestras metas y otras necesidades.

✦ **Usted manda cuando compra.** Recuerde que, cuando

está comprando (particularmente algo costoso, como muebles o aparatos domésticos), usted tiene el poder, porque el vendedor y el almacén quieren hacer negocios con usted. A menudo, podemos obtener entre el 10% y el 20% de rebaja, si ofrecemos comprar ya mismo en efectivo. Si no están interesados en reducir el precio del artículo, no olvide preguntar qué otra mercancía o qué beneficios le darán al hacer la compra (por ejemplo, un maletín o *software*, cuando está comprando un computador). Muchos almacenes ofrecen "noventa días equivale a de contado" como una opción de pago. (Si paga el total dentro de un lapso de tres meses, noventa días, no cobran intereses.)

Negocie. Ayer vi un bello marco rebajado, pero el único que quedaba era el que estaba de muestra y tenía unos leves rayones. Le pedí al vendedor que le consultara al gerente si me daba $3 más de rebaja. Trato hecho. Recuerde: la persona que tiene el dinero tiene el poder... y esa persona es *usted*.

✦ **¿Tiene que ser nuevo?** A menudo podemos obtener mucho más de lo que nos imaginamos, si compramos cosas de segunda mano. ¿Ha descubierto los almacenes de artículos musicales y deportivos de segunda mano? Y ¿qué tal las subastas, los anuncios en los periódicos y las ventas de garaje? ¿Qué opciones tiene usted para obtener el máximo con su dinero?

✦ **Lo que cuenta es la intención.** Es fácil olvidar que los cumpleaños, los días de fiesta, los aniversarios, los matrimonios son celebraciones de cariño, y que lo que cuenta es la intención (no el tamaño, ni el precio del regalo). Antes de comprar, es una buena práctica detenerse y asegurarse de que estamos actuando de "adentro hacia fuera" y no al revés. ¿Estamos regalando con el corazón? ¿Estamos seguros de que el costo y el número de regalos que escogemos para regalar no nos hacen daño ni inciden en las necesidades de la familia? ¿Estamos actuando con base en un sentimiento de culpa o para demostrar algo o impresionar a alguien? Debemos recordarnos a nosotros mismos que los regalos son simples muestras de amor y cariño. (Si lo que estamos regalando no proviene del amor y el cariño, entonces, quizá no sea realmente un regalo.)

✦ **Una idea para un regalo.** Escuché que la novia de un joven celebró su cumpleaños un día después del seminario. Él le compró una rosa y una orquídea, sus flores favoritas, y ¡le dio $5 para abrir una cuenta nueva!

CONSEJOS SOBRE SEGUROS

El tema de los seguros es muy amplio. Mi propósito es únicamente recordarle que examine muy de cerca sus necesidades y la cobertura que tienen sus pólizas: médicas, de invalidez, odontológicas, del automóvil, de la casa y de seguro de vida.

Nuestras necesidades siempre están cambiando. Cada año, cuando vaya a renovar sus pólizas, tómese unos minutos para volver a evaluar sus necesidades. Si sufriera una lesión en la columna vertebral o necesitara medicación diaria y fisioterapia, ¿proporcionaría su póliza médica la necesaria cobertura? (Recuerde que lo que está impreso en letras grandes da y lo que está impreso en letra pequeña quita.) ¿Están protegidas adecuadamente sus pertenencias domésticas (muebles, joyas, aparatos, ropa) por seguros para arrendatarios o para propietarios? Si es así, ¿ha especificado el valor de *reposición*, en el evento de que algo sea robado o destruido, o están los bienes asegurados únicamente por su valor actual (como usados)? ¿Y su seguro de vida? ¿Lo necesita? (Recuerde que realmente es un seguro para la muerte; dinero que le darán a alguien sólo después de su muerte.)

¿Su patrono le proporciona seguro odontológico u oftalmológico y está usted aprovechando tales beneficios? ¿Ha averiguado acerca de las tasas de seguros del automóvil y las ha comparado para aprovechar las rebajas por ser un conductor prudente y demás beneficios? Si es usted trabajador independiente, se ha preguntado: "¿Tengo un seguro de incapacidad suficiente para el caso de que no pueda trabajar?"

Probablemente la mejor manera de comprar sus seguros sea por teléfono. Cuando esté pidiendo la información y se le hayan acabado las preguntas, plantee ésta: "¿Qué no le he preguntado que pudiera querer saber?"

RESUMEN

No olvide poner en duda sus suposiciones. Puede ser que esté actuando con base en suposiciones que son mitos. Éste es un buen momento para volver a evaluar sus hábitos y pautas de comportamiento. Al examinarlos de cerca, puede encontrar opciones que nunca imaginó que tenía.

Es posible que, a medida que su plan económico se realice y amplíe, desee consultar nuevamente el capítulo que acaba de leer. Permita que estas ideas le sirvan de trampolín. Seguramente usted se las ingeniará para idear sus propias formas de reunir dinero para alimentar sus sueños.

SEIS

Programe su felicidad para hoy y mañana

*Los obstáculos son esas cosas horribles que uno ve
cuando aparta la vista de sus metas.*

— Henry Ford

He llegado a comprender que hacer planes nos produce a muchos un miedo formidable. A menudo, incluso antes que hayamos empezado a contemplar la posibilidad de un plan, nuestra mente construye un elaborado conjunto de razones lógicas por las cuales nunca funcionará, cuando en el fondo la verdadera razón por la cual no procedemos es, tal vez, porque tenemos miedo. He aquí un ejemplo. La idea de unas vacaciones en el Caribe suena tentadora: aguas transparentes como el cristal para disfrutar de un emocionante buceo, días de placidez bajo el sol acariciador, aventuras, exquisita comida, diversión. Finalmente un buen amigo nos pregunta un día: "¿Por qué no dejas de hablar y más bien vas?" Inmediatamente nuestra mente nos presenta una larga lista de obstáculos: "Oh, éste no es un buen momento, y además ya gasté mi tiempo de vacaciones, y probablemente no es tan maravilloso como pienso, y seguro costará mucho más de lo que puedo gastar en unas vacaciones, y necesito instalar un tejado nuevo el año entrante y..."

Detrás de esta larga lista de impedimentos, muy a menudo encontraremos el miedo; y ese miedo puede ser a una de varias cosas. Puede ser miedo a la desilusión. ¿Qué tal que hagamos todos los planes para ir y en el último momento suceda algo que nos obligue a cancelar el viaje? (huelga en la aerolínea, enfermedad, problemas en el trabajo). A muchos nos han desilusionado tanto en nuestra vida los padres, los parientes, el estado del tiempo, los amigos, el jefe, que nos protegemos hasta el punto de que ni siquiera hacemos planes. Otros miedos pueden ser a nuestro aspecto, a nuestro peso, a nuestra falta de ropa "apropiada" para unas vacaciones en el Caribe. O tal vez es nuestro miedo a viajar en avión o en barco, a salir del país, a estar en lugares nuevos, a estar lejos del médico de la familia, etc.

¿Cuál es mi punto de vista? Si se encuentra resistiéndose a la idea de hacer un plan, deténgase y pregúntese: ¿por qué? ¿Qué lo está bloqueando y no le permite trazar un plan que lo ayudará a realizar sus sueños y le dará la tranquila sensación de que es verdaderamente dueño de su dinero? Puede detenerse a pensar y corregir lo que obstaculiza su marcha, o puede sobreponerse a su miedo e iniciar su plan de todas formas, como hizo Mary. "Antes de acabar el seminario, debíamos presentar un plan. Me sentí reconfortada. Concebir un plan para mí misma me forzaba a mirar adelante y a no escapar. Era algo como: 'Creo que podría empezar a ahorrar un poquito'. Y entonces tomé esa decisión y la mantuve. Saqué algún dinero de mi sueldo, una pequeña cantidad, $25 o algo así, y la ahorré".

Para que tenga éxito, su plan monetario debe ser divertido y obedecer a sus deseos. El primer paso es poner la mira en lo que más lo motiva. Para Tony, era una bicicleta roja de montaña; para Mary, unas botas de excursión; para Elaine, de cincuenta y siete años, un fondo para jubilación; y para Kay y Bob, un viaje a Escocia. Con el paso de los años continuará completando su plan monetario, hasta que sea muy amplio. Para empezar, sin embargo, debe ser muy fácil y motivador, a fin de asegurar su éxito.

La pregunta que usted debe hacerse es: "¿Qué mejorará la calidad de mi vida diaria?" La respuesta puede ser: dinero para conseguir quién cuide al niño, de manera que pueda tener algo de tiempo para estar a solas con mi pareja; dinero para comprarme alguna prenda de vestir, sin sentirme culpable; una escapada de fin de semana para descansar y relajarme. Mientras va pasando el día, reflexione acerca de cuál será su primera meta. Tal vez, como a Leslie, cegada por su deuda de $7 000 a MasterCard, le cueste trabajo recordar qué es lo que usted realmente desearía.

Para la mayoría de las personas hay dos cosas que podrían diferenciar sustancialmente la calidad de su vida: 1) tener el sentimiento profundamente satisfactorio de saber que están destinando su dinero a la realización de sus sueños, y 2) tener el sentimiento de seguridad que resulta de saber que hay dinero disponible para las emergencias de hoy al igual que para las necesidades del mañana.

Si está pensando que eliminar una cuenta diferenciaría significativamente la calidad de su vida, *cuídese*. No es más que una táctica de diversión de la mente. Claro que las cosas estarían mejor si las cuentas estuvieran más controladas o si definitivamente desaparecieran. Pero eliminar una cuenta produce sólo un sentimiento temporal de alivio, comparado con el sentimiento profundo y duradero de poder y seguridad que produce el dinero en mano. La disponibilidad de dinero significa opciones, y las opciones significan control. La ausencia de cuentas nunca podrá compararse con la posibilidad de tener opciones (dinero).

Para ayudar a su mente a no pensar en las cuentas, imaginemos que su deseo se vuelve realidad: no tiene cuentas. Y ahora ¿qué? ¿Qué falta todavía? ¿Qué le gustaría estar esperando que le trajese emoción a sus días? ¿Qué tal planear y ahorrar para un objeto divertido o para un paseo? ¿O tal vez la extravagancia y la diversión son el pan de cada día y lo que realmente desea es la seguridad de tener dinero en sus manos?

He aquí lo que Ellen hizo para ayudarse a encontrar lo que más le entusiasmaría en ese momento. "Hice una lista de cosas que quisiera hacer, algunas pequeñas y otras más importantes. Rebusqué en mi mente todas las metas que me gustaría lograr y luego elegí una: un viaje de fin de semana". Excelente idea. Escriba cada idea que se le ocurra. No enmiende el texto. Permita que todas las ideas fluyan. Después de algunos días de estar creando su lista, probablemente descubrirá que hay una o dos metas que le atraen más que las demás. Sienta esa atracción y no la analice. La meta en la cual está pensando puede ser frívola o práctica. *Confíe en usted*. Si le entusiasma pensar en eso, hágalo.

Cuando estoy dando un seminario y estoy caminando alrededor de mis alumnos, ayudándoles a concebir su plan, me sorprende cuánta negatividad se insinúa en sus planes. Sólo porque he hablado de tener dinero ahorrado para una emergencia o dinero reservado para la reparación del automóvil, algunos sienten que deben incluirlos en su primer plan. Error. Las únicas metas de su primer plan deben ser aquéllas que lo motiven poderosamente, que lo mantengan a la expectativa.

No hay planes buenos, planes malos, planes correctos, planes equivocados: sólo existe *su* plan para hacer realidad sus sueños. En su historia, Mary habla acerca de la necesidad de comprar una casa para sentirse segura al acercarse su jubilación. Para Mary, ser propietaria de una casa fue una meta importante y altamente motivadora. Otra persona podría descartar la idea de tener casa propia, por no querer estar comprometida, durante la jubilación, con los costos de mantenimiento y de impuestos; podría ser lo último que quisiera. Su tarea es decidir lo que *usted* quiere.

Lograr discernir qué es lo que realmente lo motiva en este momento de su vida es probablemente la parte más crítica y engañosa de la concepción de un plan exitoso. Dedique tiempo a establecer cuidadosamente la diferencia entre lo que realmente quiere y lo que piensa que debiera querer. Es hora de desechar los programas de los demás y *confiar en su propia sabiduría interior.*

A continuación encontrará una lista de metas que debe tener en cuenta a medida que vaya ampliando, con el paso del tiempo, su plan maestro monetario. Ésta no es una lista para empezar, sino una visión general de lo que puede incluir un plan monetario a medida que se desarrolla durante cierto período. Se presenta sólo como una guía. Usted es el único que puede elaborar su plan.

En primer lugar, hay una lista de posibles categorías. Cada categoría tiene su cuenta de ahorros separada o su caja de sueños propia. Una vez al mes, se saca dinero del sueldo y se diversifica en cada meta, o el cambio se deposita regularmente en cajas de sueños.

1. Cuenta para la independencia económica.
2. Cuenta para emergencias.
3. Emergencias en el futuro.
4. Para los niños hoy.
5. Para los niños en el futuro.
6. Meta a corto plazo.
7. Meta a mediano plazo.
8. Meta a largo plazo.
9. Cuenta para el automóvil.
10. Cuenta para impuestos.
11. Cuenta para fiestas.
12. Caridad/iglesia.
13. Cuenta para inversiones.
14, 15 ... Jardinería, universidad, talla en madera, clases de música, etc.

1. Cuenta para la independencia económica. A medida que esta cuenta se va formando a lo largo de los años, va aumentando la frecuencia con que pasamos una buena noche. Como ni el dinero de la seguridad social ni el de la pensión están garantizados, el único dinero con el cual usted puede contar es con aquel que ha ahorrado para usted mismo. Al ahorrar en forma permanente e ir creando un gran fondo para usted (¿recuerda los $200 000 sobre los cuales hablé en el capítulo 2?) se proporciona una sensación de seguridad y, en última instancia, la libertad que proviene de la independencia económica. De esta manera, si su patrono cierra la empresa (o hace malas inversiones con el dinero de su jubilación) o el pozo de la seguridad social se seca, usted todavía tendrá el dinero que haya ahorrado. El dinero para la independencia económica estará colocado en cuentas individuales de jubilación, anualidades exentas de impuestos y cualquier otra inversión de bajo riesgo que usted maneje con el objetivo de asegurar su futuro.

2. Cuenta para emergencias. Al comienzo ésta es una de las primeras y más importantes cuentas para muchos. Proporciona la seguridad inmediata que la mayoría de las personas no tienen. El primer lugar al cual se va en caso de un aprieto es a esta cuenta. La idea es ahorrar una pequeña cantidad cada mes. Cuando se presente una emergencia (un neumático nuevo, una cuenta médica, una cuenta de fontanería) este dinero estará disponible y nos evitará tener que acudir a las tarjetas de crédito.

3. Emergencias en el futuro. Ésta es su cuenta "para dormir tranquilo". La meta es acumular un mínimo de seis salarios. Tener este dinero ahorrado significa pasar una buena noche, al saber que está preparado para una emergencia grave (desempleo, enfermedad prolongada, operación quirúrgica).

4. Para los niños hoy. Esta cuenta nos prepara para algunos de los gastos que acompañan la crianza de los hijos, tales como camas nuevas, bicicletas, campo de vacaciones, instrumentos musicales. Una cuenta para todos los niños funciona bien, porque esta cuenta es para atender las necesidades que surjan y no para hacerle un regalo a cada hijo.

5. Para los niños en el futuro. Esta cuenta se puede emplear para contribuir a sufragar los gastos de la universidad o para ayudar a los hijos a embarcarse en un negocio cuando sean mayores.

6. Meta a corto plazo. Esta cuenta es decisiva, especialmente al comienzo. Para permanecer inspirado y motivado, se debe tener el sabor del éxito temprano y vivirlo regularmente. Su meta a corto plazo puede ser ropa, un mueble, viajes de fin de semana, funciones teatrales, competiciones deportivas, joyas, etc.

7. Meta a mediano plazo. Para lograr esta meta pueden pasar meses e incluso unos pocos años; por ejemplo: remodelación de la alcoba, videocámara, viaje a Europa, sauna, computador.

8. Meta a largo plazo. El dinero que se ahorra en esta cuenta es para las metas y los sueños más lejanos. Ejemplos de metas a largo plazo serían una casa de verano, iniciar un negocio propio, tomarse un año de vacaciones, seis meses de viaje.

9. Cuenta para el automóvil. Tener una cuenta para el automóvil puede reducir mucho la ansiedad que nos producen las cuentas inesperadas de reparaciones, el costo de los neumáticos nuevos, las licencias, el seguro.

10. Cuenta para impuestos. Con esta cuenta puede estar tranquilo, sabiendo que está preparado para ese impuesto anual de catastro, negocios o ingresos.

11. Cuenta para fiestas. Para Navidad, Año Nuevo, día de la madre, día del amor y la amistad. El dinero ahorrado por este concepto durante el año significa no emplear más las tarjetas de crédito en estas ocasiones y empezar a celebrar sin sentimiento de culpa.

12. Caridad/iglesia. El dinero que daba para obras de caridad era, la mayoría de las veces, dinero que realmente necesitaba para mi familia y para mí. Como vivíamos estrictamente con lo necesario, una o dos emergencias económicas importantes nos hubieran obligado a recurrir a la caridad. Finalmente decidí disminuir mis dádivas mientras no creara un fondo para mí misma. Con una cuenta separada, usted puede estar seguro de que tiene dinero para dar.

13. Cuenta para inversiones. Una *pequeña* cantidad de dinero mensual destinada a una cuenta de inversión crecerá lentamente a lo largo de los años mientras termina de organizarse económicamente. Después, cuando sus fondos sean suficientemente sólidos, tendrá algún dinero para arriesgar (invertir).

14, 15, etc., serán cuentas separadas que usted creará para satisfacer sus necesidades y contribuir a lograr sus metas.

Las categorías enumeradas están concebidas para darle una idea de cómo cubrir todos los frentes. Cada vez que establecemos una cuenta para atender una necesidad o lograr una meta, nos estamos dando el regalo increíble de las expectativas y del gobierno de nuestra vida.

He aquí cómo utiliza Kathy una de sus cuentas para ayudarse a sentirse dueña de la situación. "Después de determinar el costo real de mis vacaciones, ahorro una doceava parte del total cada mes, deduciendo el dinero de mi sueldo. Me encanta poder empezar a ahorrar y planear el próximo viaje cuando regreso de mis vacaciones". Al planear con anticipación estas ocasiones especiales que ocurren una vez al año, eliminamos la innecesaria ansiedad y dormimos tranquilos todas las noches, sabiendo que estamos preparados.

Mary Ann dijo: "Todo el mundo ve que va a llegar la Navidad y se queja, se queja, se queja: 'Sólo quedan dos pagos de sueldo antes de Navidad'. No tengo que preocuparme por la Navidad. Pasé todo el año pensando en ella y tengo cosas guardadas. Busqué las rebajas y utilicé dinero en efectivo que tenía disponible. En esta Navidad no quedaré endeudada".

¿Cuál es la diferencia entre fijarse una meta y hacer castillos en el aire? Los castillos en el aire son pensamientos sin objeto alguno, mientras que las metas están claramente definidas y son alcanzables. Cuando establecemos una meta, estamos pintando una línea de llegada que podemos ver. Nos desafía, nos llama para que lleguemos hasta el final. Es la diferencia entre dejar algún cambio encima de un armario sin pensarlo y dirigir *deliberadamente* el dinero hacia nuestra caja de sueños rotulada. Los castillos en el aire son algo que nunca evoluciona, mientras que una meta es un objetivo específico que mantiene nuestra mira dirigida todo el tiempo hacia la línea final.

¿Cuántas veces hemos ahorrado una suma grande de dinero al comienzo del mes, sólo para tener que retirarla a fines de mes? La mayoría de personas están tan ansiosas de organizar definitivamente el dinero, que establecen un plan tan exigente que no lo pueden realizar. Esta vez va a ser diferente. Esta vez nuestro plan será realista y divertido. No más planes con autosabotaje, ni grandiosos, ni imposibles de llevar a cabo. Como dijo Jim: "Eso es lo que siempre me descarrilaba en el pasado: fijar metas que no podían lograrse de ninguna manera".

He aquí un ejemplo de cómo puede ser un primer plan maestro monetario trimestral:

Cuenta para emergencias	$5 (al mes)
Cuenta para cine	Caja de los sueños
	(juego del cambio)

Este plan promete diversificar el dinero en dos formas: 1) $5 saldrán *antes que todo del cheque del sueldo* cada mes e irán directamente a una cuenta para emergencias, y 2) todo el cambio se reunirá y depositará en la caja de los sueños para divertirse, sin sentimiento de culpa, en el cine. Cuando hablo de una cuenta para emergencias, me refiero a gastos que surgen inesperadamente y para los cuales no estamos preparados. He utilizado el dinero de mi cuenta para emergencias para reparar la calefacción, para comprar neumáticos nuevos, para el mantenimiento de la máquina de coser e incluso para comprar a mis dos hijos zapatos el mismo día. Trato de no tocar mi cuenta para emergencias a fin de que pueda crecer; pero si necesito dinero, acudo a ella *(no* a mi cuenta para el viaje a Hawai).

El anterior plan es lo que llamo un plan realista, motivador y muy posible de llevar a cabo. Cada día, al depositar dinero en nuestra caja de los sueños, *sentimos* emoción, y disfrutamos anticipadamente cada película que veremos y la compañía del amigo que invitaremos a cine. Simultáneamente, estamos formando nuestra cuenta para emergencias y viéndola crecer: $5, $10, $15, $20. Queremos que este fondo siga incrementándose y, por lo tanto, hacemos lo posible para no utilizarlo. Ya estamos en camino.

Al concebir y poner en ejecución un plan hemos producido un impulso. Lo que lo diferencia radicalmente de los que hemos intentado en el pasado es que este plan es *realizable*. Estamos adquiriendo el ritmo de la tortuga. Hemos establecido un plan realista y equilibrado que podemos llevar a cabo. Esta vez nada nos detendrá.

Sea cual sea el plan que se trace, le sugiero que lo mantenga durante tres meses y entonces lo vuelva a evaluar. Lo que ocurrirá al final de los tres meses es que se dará una palmadita en la espalda y dirá algo así: "¡Qué fácil resultó! ¡Tengo dinero en mi fondo para emergencias y he ido seis veces a cine!" Entonces, probablemente abrirá otra cuenta en su caja de ahorros (tal vez para cubrir los inacabables gastos del automóvil). En poco tiempo, se encontrará rotulando otra caja de los sueños y jugando a otro juego. Esta vez su meta podrá ser el viaje a Australia con que siempre ha soñado. Al empezar el cuarto mes, su nuevo plan podría ser:

Cuenta para emergencias	$12.50 (al mes)
Cuenta para el automóvil	$10.00 (al mes)
Cine	Juego del cambio
Viaje a Australia	Juego del dinero extra (capítulo 5)

Este plan modificado también estará en ejecución durante tres meses. Es un plan inteligente, realista y muy factible. La trampa más peligrosa en que podemos caer es hacer planes demasiado ambiciosos. En forma poco realista, hacemos una lista de seis o siete metas y tratamos de depositar $30 en cada cuenta, en un intento desesperado de recuperar el tiempo perdido. Es demasiado, es muy pronto. No tenemos los medios para depositar tanto dinero en seis cuentas; por lo tanto, fracasamos.

Piénselo. ¿Cuánto tiempo ha estado sin un plan que funcione? ¿Cuánto tiempo ha estado sintiéndose fuera de control con su dinero? Para la mayoría de las personas, la respuesta es "siempre" o "desde que puedo recordar". Por lo tanto, en vez de echar a perder esta oportunidad de realizar finalmente sus sueños y de tener dinero ahorrado, vamos a empezar lenta y seguramente. Imagínese mirando hacia atrás dentro de tres meses y exclamando: "¡Lo logré! Mi dinero está creciendo y mis sueños se están haciendo realidad. ¡Por fin controlo la situación!"

Cualquier persona que trace un plan análogo al que hemos puesto de ejemplo tiene prácticamente garantizado el éxito. Es importante volver a evaluar su plan cada tres meses. En ese momento, 1) examine si las metas que eligió siguen siendo las de mayor prioridad, 2) añada nuevas cuentas o cajas de los sueños, 3) reestructure, si es necesario, las sumas de dinero que destina a las distintas cuentas, y 4) deposite más dinero para sus metas, *si eso es realista*. Con un plan monetario en acción, tendrá expectativas y satisfacciones todos los días. Su dinero está creciendo, y usted está alcanzando sus metas y sintiendo que aumenta la satisfacción que proviene de estar mandando sobre su vida.

Cinco claves para trazar un plan monetario que lo conduzca directamente a sus metas

1. Elegir metas que sean **divertidas y motivadoras**.

2. **Empezar**.

3. **Empezar en pequeño**. (Recuerde: es mejor empezar inmediatamente a hacer algo bien que esperar hasta que lo pueda hacer perfecto.)

4. **Ser realista**. (Es ciento por ciento mejor ahorrar $5 mensualmente e irlos acumulando durante un año que ahorrar $60 hoy y, por estar en un apuro de dinero, tener que retirarlos mañana.)

5. **Aferrarse a su plan, pase lo que pase**. (Mantenga su plan durante tres meses, y entonces vuelva a evaluarlo, agregando más metas, diversificando y haciendo cambios. Continúe durante tres meses con su plan modificado, y así sucesivamente.)

"En mi caso, lo más importante que he notado es que me siento mejor conmigo mismo, porque ahora tengo un plan para mi dinero — escribe Dave —. He abierto una cuenta de ahorros separada para cada propósito específico. Ahora, las emergencias, o simplemente los gastos inesperados, se enfrentan sin necesidad del 'gran apretón'".

Lola, joven madre de un niño de dos años, nos contó una historia enternecedora acerca de cómo empezar y ser realista. Se encontraba recién divorciada y en bancarrota, cuando escribió: "A mi hijo Brandon le encanta salir a un restaurante de comida rápida a comerse un plato para niños. Por lo tanto, ahora, cuando tenemos suficiente dinero en el frasco, salimos a darnos ese gusto. ¡Es tan divertido!"

A las personas que se inscriben en mis seminarios suelo pedirles que llenen un cuestionario anónimo que describa su situación financiera. ¿Puede adivinar cuál es, en general, el denominador común? *Carencia de ahorros.* La mayoría de la gente no tiene dinero suficiente para enfrentar una cuenta grande de reparaciones del automóvil, un vuelo de emergencia para acompañar a un pariente enfermo y la necesidad de una nevera nueva, todo en el mismo mes.

Pero empezar a cumplir un programa serio de ahorros *no* es la respuesta. Lo he intentado yo, y también usted. No ha funcionado. La idea es hacer algo que esté probado que funciona. Si la primera vez que usted juega fútbol, marca un gol, por lo menos dos cosas ocurren: le gusta el fútbol y siente que ha tenido éxito. Eso es exactamente lo que nuestro plan debe proporcionarnos: éxito, además de diversión y motivación para llevarlo a cabo.

Para empezar, descubra cuál es la cosa más motivadora para usted en este momento. Cuando nos concentramos en una sola idea motivadora, encauzamos nuestra energía. Esta concentración aumenta en forma importante nuestras posibilidades de éxito. (Tenemos más probabilidades de marcar un gol, si nos concentramos en la pelota y no en los aficionados, nuestro estado físico o nuestro entrenador.)

Abrigo la esperanza de que usted ya haya rotulado su recipiente y haya estado jugando al juego del cambio desde que leyó sobre él en el capítulo 1. Si así es, ya conoce los maravillosos sentimientos llenos de emoción y expectación que acompañan el hecho de poner en ejecución un plan en acción. Si no lo ha hecho, le aconsejo que disfrute las recompensas del juego del cambio durante un tiempo antes de embarcarse en su plan maestro monetario.

He aquí lo que Mary, editora de textos y escritora a

destajo, escribió al final de uno de mis seminarios: "He consolidado mis propósitos en la vida y me siento con mayor fortaleza para decidir a diario: ¿un pastel o las botas? ¿una cartera o Europa? Ahora sé que lo que me espera son compras divertidas, y no pagos de cuentas a plazos". El siguiente es el plan maestro monetario original de Mary:

Botas para excursión	Juego del cambio
Cuenta para emergencias	$30 mensuales
Europa	10% del dinero devengado por trabajos a destajo y todas las devoluciones de impuestos
Computador	$10 al mes

He aquí cómo era el plan maestro monetario de Mary un año después:

Botas de excursión	Juego del cambio. (Mary explicó que, aunque había logrado su meta de comprar unas botas de excursión, hacía bastante tiempo, todavía lo llamaba afectuosamente su "fondo para botas de excursión". Actualmente, está ahorrando su cambio para una chaqueta impermeable.)
Cuenta para emergencias	$30 mensuales. (Esta cuenta tenía $651 el día en que hablé con Mary. Me dijo que no se siente a gusto con esta suma, pues le agrada mantener el saldo en más de $1 000. Le pregunté cuánto tenía en su cuenta para emergencias cuando se acabó el curso. "¡Cero!", dijo riéndose. También me explicó que ahora deposita todo el dinero "sorpresa" en esta

cuenta. "Como cuando alguien que me debe dinero se vuelve súbitamente responsable ¡y me paga!" Recuerde: la cuenta para emergencias es aquélla a la cual *está bien acudir* cuando surge un gasto inesperado.)

Cuenta para viaje a Europa

(La fuente para esta cuenta cambió. Mary me explicó que cada mes recibe la mitad de la cuota de la venta de la casa en que vivían ella y su ex marido). "Mi compañero, David, y yo comprendimos que podríamos viajar antes a Europa si destinábamos este ingreso a la cuenta correspondiente. ¡Antes de tomar esta decisión, ese dinero volaba como una bandada de pájaros!"

Cuenta para computador

$10 al mes. "Antes de asistir a su curso pensaba que una persona sólo tenía una cuenta, y que esa cuenta se utilizaba para todo. Esa única cuenta mía ya tenía algún dinero y fue la que bautizamos 'cuenta para computador'. Compramos el computador en marzo pasado y ahora continuamos depositando $10 mensuales cada uno para comprar artículos para computador, como *software* y actualización de programas".

Diversión de fin de semana

"Abrimos esta cuenta cerca de cuatro meses después. Es nuestro dinero para escapadas de fin de semana. David deposita $10 cada mes, pero lo mío varía. Si nos estamos sintiendo muy estresados y vemos que necesitamos diversión, cada uno deposita $30 y hasta $60".

Mary mencionó algo que calificó como una anotación muy "cualitativa" sobre el cambio que se operó en la vida de sus hijos. "Tengo dos hijos, de veintiuno y veintitrés años. El haberles comentado sobre lo que he aprendido los ha vuelto verdaderamente diferentes. El otro día mi hijo me preguntó: '¿Cómo vas a poder ir a Europa en octubre? No acostumbrabas tener ningún dinero'. 'Bien, ¿recuerdas que te he estado contando sobre mi nueva vida con el dinero?'" Entonces Mary agregó que él había querido saber mucho más al respecto.

A continuación se encuentra el plan maestro monetario que se trazó Carolina. Tome nota de cómo ha tenido el cuidado de programar ahorros para emergencias actuales y futuras, además de darle interés a su vida con sus tres cuentas para "diversión personal". Su plan está bien concebido y probablemente será muy satisfactorio. Un plan tan motivador como éste está destinado al éxito.

Plan para tres meses

Cuenta para emergencias	$40
Emergencias en el futuro	$10
Navegar/montar en bicicleta	$15
Europa	$30
Computador/capacitación	$ 5

"Descubrir qué era lo mejor para mí fue lo que más me desconcertó — escribe Carolina —. Pero, ahora que he puesto mi plan sobre el papel, mis metas parecen más alcanzables. Me siento más a gusto conmigo misma ahora que puedo gastar el dinero en mí y no en cosas que no quiero. Con la idea de los fondos para emergencias, puedo confiar en que no tendré que preocuparme cuando esté buscando un empleo nuevo o si decido volver a estudiar".

Ahora, analicemos el plan trimestral de Connie. Es fácil ver que ha basado cuidadosamente su plan en lo que valora. Es realista, equilibrado, motivador y muy factible.

Capacitación	$20
Cuenta para emergencias	$20
Viaje para visitar a mi hermana en Israel	$10
Nuevo edredón de plumas	Juego del cambio

Tome nota de la manera como Connie ha establecido las prioridades y ha pesado sus metas. Aunque yo presenté una larga lista de sugerencias de metas, que incluía la independencia económica, los impuestos, las emergencias en el futuro y la cuenta para el automóvil, Connie ha elaborado un plan equilibrado que se basa en sus necesidades y metas actuales. Lo más importante es que, debido a que su plan distingue lo que más la motiva actualmente en la vida, ha aumentado ampliamente sus probabilidades de tener éxito en los primeros tres meses de realización de su plan.

Nunca pondré demasiado énfasis en esto: si usted se traza un plan que le *guste* y le sea fácil de llevar a cabo, puedo prácticamente garantizarle que nada lo detendrá. Una vez que haya probado el éxito, será una persona diferente. Sean cuales sean las cosas que le depare la vida, tenga la seguridad de que podrá manejarlas. Vicki transmite este sentimiento en su carta: "A veces he sentido que mi mundo se estaba desmoronando a mi alrededor, pero pienso que el saber que al menos este aspecto de mi vida [el económico] era estable, me tranquilizaba. También me sentía bien por lo que había logrado y por los cambios que había realizado".

Cuando Julie reincidió, fue capaz de recapacitar. "Pasado un tiempo volví a enloquecerme con las tarjetas. Ya me había hecho a la idea de pagarme a mí misma en primer lugar y había pasado de mi propósito original de ahorrar $50 mensuales a ahorrar $300. Entonces me pregunté:

'¿Qué anda mal en esta situación? Si puedo ahorrar $300 al mes, ¿por qué estoy usando tarjetas?' Por alguna razón, me había ablandado nuevamente, ¡y es que la ropa es tan terriblemente costosa! En tres o cuatro meses, volví a inflar mis cuentas de tarjetas de crédito. Cuando perdí el control, contemplé la situación general y me dije: 'Si sabes que esto es realmente estúpido, ¿por qué lo estás haciendo?' e inicié el proceso de recuperación".

Los ejemplos de planes monetarios que usted ha leído le dan una idea sobre cómo empezar. En la página 186 verá una tabla con cálculos monetarios, que le darán un mayor incentivo. Esta tabla me produjo gran efecto y me dio la perspectiva e inspiración que necesitaba para ratificarme en mi plan. Para explicar la tabla, supongamos que tenemos un hijo recién nacido y que hemos decidido ahorrar para su futuro. Comenzamos por depositar $100 cada mes y continuamos haciéndolo hasta que nuestro hijo cumple dieciocho años. Vemos que hemos acumulado más de $30 000 en esa cuenta (exactamente $31 664).

A partir de ahora, en vez de depositar dinero, *retiramos* de esa cuenta $100 todos los meses, sin excepción, y se los enviamos a nuestro hijo para ayudarle a sufragar sus gastos en la universidad o para establecerse. Continuamos retirando y enviando $100 a nuestro hijo todos los meses durante el mismo número de años que estuvimos ahorrando. Dieciocho años después de haber estado mermando esta cuenta en $100 al mes, nuestro saldo es $33 373; es decir, ¡$1 709 *más* de lo que teníamos cuando empezamos a retirar!

Para ver cómo puede ser posible esto, demos una mirada a la tercera columna de la segunda tabla, página 187, que muestra el crecimiento del interés. El primer año, después que nuestro hijo cumplió dieciocho años, retiramos $1 200, mientras que la cuenta devengó $1 266 en

Los primeros 18 años, ahorrando $100 cada mes

Año	Suma ahorrada anualmente, con depósitos de $100 al mes	Interés sumado mientras ahorra	Total en la cuenta
1	$1 200	$ 26	$ 1 226
2	1 200	77	2 503
3	1 200	128	3 831
4	1 200	182	5 213
5	1 200	239	6 652
6	1 200	297	8 149
7	1 200	359	9 708
8	1 200	421	11 329
9	1 200	488	13 017
10	1 200	557	14 774
11	1 200	628	16 602
12	1 200	703	18 505
13	1 200	780	20 485
14	1 200	861	22 546
15	1 200	945	24 691
16	1 200	1 032	26 923
17	1 200	1 124	29 247
18	1 200	1 217	31 664

intereses. Durante el decimoctavo año, en el cual retiramos $1 200, la cuenta devengó $1 330. Debido a la importante suma de dinero que estaba devengando intereses, ingresaron en la cuenta $1 330, aunque retiramos $1 200 y no hicimos ningún depósito. Si usted lograra conseguir sólo un punto más de interés en promedio durante estos dos períodos de dieciocho años (5% en lugar de 4%), el saldo en su cuenta sería de $51 022 en vez de $33 373, o sea, $17 649 para su bolsillo. No sólo habrá ayudado a su hijo; habrá también acumulado $51 022 en ahorros para usted.

Esta tabla nos proporciona el cuadro vívido de por qué queremos: 1) ahorrar ahora, 2) depositar dinero regular-

Los segundos dieciocho años, retirando $100 cada mes

Año	Suma retirada anualmente, restando $100 al mes	Interés sumado mientras ahorra	Total en la cuenta
1	$1 200	$1 266	$31 730
2	1 200	1 269	31 799
3	1 200	1 272	31 871
4	1 200	1 275	31 946
5	1 200	1 278	32 024
6	1 200	1 281	32 105
7	1 200	1 284	32 189
8	1 200	1 288	32 277
9	1 200	1 291	32 368
10	1 200	1 295	32 463
11	1 200	1 299	32 562
12	1 200	1 303	32 665
13	1 200	1 307	32 772
14	1 200	1 311	32 883
15	1 200	1 315	32 998
16	1 200	1 320	33 118
17	1 200	1 325	33 243
18	1 200	1 330	33 373

Nota: Esta proyección está basada en una tasa anual de interés del 4%.

mente y 3) tener una gruesa suma de dinero que trabaje para nosotros. He aquí cómo Valery puso esto en práctica. "Empecé a ahorrar para un viaje a Europa cinco años antes de realizarlo. Una pequeña suma de dinero sacada de mi sueldo cada mes se convirtió en una importante cantidad cinco años después. ¡Lo más divertido es pensar que el interés devengado en la cuenta casi cubre la totalidad del costo de mi pasaje! Además, las tablas de interés compuesto elaboradas por usted me motivaron a empezar a ahorrar para mi jubilación. ¡Es emocionante ver crecer el total por sí solo!"

Una de mis citas favoritas es del escritor Rusty Berkus:

"Tal vez usted ha vivido el sueño de otra persona y no el suyo". ¿Y en lo que respecta a usted? ¿Ha estado viviendo el sueño de otra persona? En momentos en que Joy vino a hacerme una consulta, estaba tratando de terminar con una relación destructiva. Cuando estábamos hablando, exclamó: "¡He pasado los últimos treinta y tres años proporcionándoles metas a los demás!" Sin duda, a mí me pasó lo mismo. Nunca había contemplado mis sueños con seriedad; menos aún había intentado hacerlos realidad. Cuando niña, mi meta diaria era proporcionar felicidad a nuestra muy presionada y desarticulada familia. Más tarde, como adulta, continué mi misión e intenté, durante más de dieciocho años, hacer feliz a mi marido. Fracasé completamente. Mi vida sólo empezó a transformarse a partir del momento en que dirigí mi energía hacia alguien sobre cuya felicidad sí tenía control: yo misma. El rumbo de mi vida cambió cuando les abrí la puerta a mis sueños y me permití hacerlos realidad.

"Estoy entendiendo el poder que da empezar — escribió Jennie —. Lo que importa no es la cantidad sino la experiencia de tener una cantidad, cualquier cantidad, ahorrada. Situarme en primer lugar es difícil. Caí en la cuenta de que todos los puntos de mi plan estaban basados en necesidades (fondos para emergencias, para jubilación, etc.) y excluían cualquier cosa que yo pudiera querer. Me asustó un poco incluir una meta a largo plazo, porque todavía no podía permitírmela. No es verdad. Probablemente sería fácil dedicar $5 al mes".

Cuando Bárbara finalizó su plan maestro monetario, tenía $5 300 en deudas de tarjetas de crédito, nada ahorrado y un ingreso anual de $26 000. Ella escribió: "Me siento entusiasmada de poder llegar a tener el dinero para conseguir lo que quiero. Me siento, en general, con más posibilidades de tener opciones en la vida". Estudiemos el plan monetario de Bárbara. Ella hizo una lista completa de sus metas. Pero, para los primeros tres meses, sólo incluyó algunas de ellas (son las seis metas señaladas con asteriscos). Es sensato de su parte empezar con algo pequeño y destinar para ello cada mes únicamente $30 de su sueldo. Con el tiempo, podrá, en forma paulatina y realista, ir incorporando el resto de los objetivos de su plan. Para tener un mayor incentivo, dedicó un tercio del dinero a la agradable meta de un viaje a Colorado, que la mantendrá motivada y dispuesta a seguir adelante.

> Jubilación
> ✦ Cuenta para emergencias $ 5
> ✦ Emergencias en el futuro $ 5
> ✦ Matrícula escolar $10
> ✦ Viaje a Colorado $10
>   Viaje a Nuevo México
>   Viaje a Europa
>   Inversiones
> ✦ Caja para la bonanza   Juego del cambio
> ✦ Regalos de Navidad   Juego del cambio

CÓMO UTILIZAR LA HOJA PARA EL PLAN MAESTRO MONETARIO

Le recomiendo sacar una fotocopia ampliada de la hoja para el plan maestro monetario, que se encuentra en las páginas 194-195. Esta hoja es un instrumento muy eficaz. Espero que decida utilizarla.

Antes de empezar a llenar la hoja, dedique tiempo a hacer una lista de lo que más valora en la vida. Mantenga esta hoja a su alcance durante el día. A medida que los sueños y metas que ha tenido durante años resurjan en su mente, anótelos. Cuando sienta que su lista de "lo que más valora en la vida" está completa, revísela y señale aquellos puntos que tienen una importancia y un significado especial en este momento de su vida. Una vez que haya señalado lo que más lo motiva, proceda.

1. Empiece a llenar su hoja del plan maestro monetario escribiendo la lista de sus metas bajo el título, en negrilla, MIS METAS, que se encuentra cerca de la parte superior izquierda de la página.

2. En el extremo izquierdo de la sección superior, en la columna titulada "Mi compromiso mensual en $ con mis metas", escriba con lápiz la suma realista que promete dedicar a cada meta mensualmente. Solamente incluya las cantidades correspondientes a las metas que va a empezar a lograr durante los próximos tres meses. Recuerde que para algunas de sus metas los fondos provendrán de los juegos de dinero que estará jugando (¡y en los cuales ganará!) y no de una suma sacada de su salario.

3. La tercera columna, titulada "Cuenta # o nombre del juego", es el lugar en donde debe registrar el número que su cooperativa de crédito o su banco le ha asignado a su cuenta. Más adelante, cuando reciba su extracto, puede comparar el número que tiene el extracto con el de su meta, poner al día las cifras e incluir los intereses devengados.

4. Supongamos que estamos en marzo. Después de haber depositado la suma que prometió (digamos $15), regístrela al lado derecho de la meta bajo la columna titulada "Marzo". Ha transcurrido un mes y estamos ahora en abril. Después de haber depositado los $15 de abril, agregue los nuevos $15 a la suma anterior ($15) y registre la suma total de esa cuenta (en este caso, $30) en la columna de abril.

Recuerde que es muy importante que registremos las cifras en dinero en nuestro cuadro sólo después de haber reservado realmente la cantidad asignada a esa meta. De esta manera, cuando registremos el nuevo total para nuestra meta, este monto será real: habremos ahorrado efectivamente el dinero y podremos disfrutar el sentimiento de orgullo y de éxito, mientras lo anotamos.

Cada nuevo depósito para nuestras metas constituye una entrada nueva o una actualización de nuestra hoja del plan maestro monetario y una descarga emocional que se produce al ver crecer nuestro dinero. Por primera vez en nuestra vida (para muchos de nosotros), al dar una mirada a nuestra hoja del plan maestro monetario, podemos *ver,* efectivamente, cómo crece nuestro dinero.

5. Cuando vemos y analizamos lo que está ocurriendo en la segunda sección de la hoja, experimentamos otra emoción y otro sentimiento positivo. En primer lugar, en el extremo izquierdo, bajo "Cuentas a plazos", haga una lista de sus tarjetas de crédito, cuotas para el automóvil y cualquier otra cuenta a plazos. Luego, justo a la derecha de la lista de las deudas, registre el saldo total de cada cuenta. Cada mes, al abonar la suma mínima requerida, reste del total, su abono. Al mirar esta sección de la hoja, se sentirá alentado y aliviado, cuando vea que los saldos de sus cuentas van *bajando, bajando, bajando.* Uno de los motivos por los cuales siempre uso un lápiz es que, cuando abono el mínimo requerido, me gusta restar la suma que pagué; por ejemplo, del saldo de $702.42 resto mi abono mínimo de $21 y registro el nuevo saldo de la tarjeta de crédito: $681.42. Claro está que, cuando llega la siguiente cuenta, le han sumado los cargos de intereses. Entonces, simplemente, borro esa cifra y hago el ajuste.

6. También podemos usar la hoja del plan maestro monetario para saber cuánto dinero hemos ahorrado en total, mirando la columna del mes en curso y sumando sus cifras. Sumamos el total de cada meta y encontramos un gran total, o patrimonio. Recibo un estímulo al hacer esto, de vez en vez, porque, cuando miro mis cuentas individualmente, los totales pueden ser $27.19 y $54.98 y $105.73 y $44.37. Esto es agradable. ¡Pero darme cuenta de que he ahorrado en total $232.27 es verdaderamente estimulante!

7. Al sentarnos con nuestra hoja del plan maestro monetario el día del mes en que pagamos las cuentas, nos sentimos estimulados al ver que nuestro plan se está llevando a cabo enteramente. Usted estará a la espera de este día, porque: 1) se estará pagando a usted mismo en primer lugar, estará diversificando su dinero entre sus metas y verá crecer las sumas totales; 2) abonará el mínimo a sus cuentas a plazos y las verá ir desapareciendo; y 3) se regocijará con la libertad, recién adquirida, resultante de haber tomado las riendas de su dinero y de su vida.

8. Ver los progresos es lo que nos hace continuar. Por lo tanto, la hoja del plan maestro monetario puede ser de gran ayuda para alcanzar nuestras metas. Utilícela. Manténgala al alcance de la mano. Dése la satisfacción de ver sus progresos. Mantenga un lápiz cerca para poder borrar y "aumentar" los totales a medida que deposita más dinero en sus cuentas.

Bonnie, casada y con tres hijos, dijo: "Saqué dinero de cada quincena de mi sueldo para hacer un viaje con mi familia a Minnesota. Yo sabía que la pequeña suma que estaba ahorrando no sería suficiente, pero que con el tiempo iría creciendo. Pude planear cada paso, y saber exactamente cuánto tiempo pasaría antes de poder realizar el viaje. Dedicar regularmente dinero a esta meta es lo que me mantiene interesada y me anima a seguir haciéndolo.

"Siento que no tengo que esperar para divertirme; ya lo estoy haciendo. Obtengo toda la diversión con sólo esperar y anticipar el futuro. También disfruto más las vacaciones o lo que sea. Pienso que si he estado esperando algo y luego lo obtengo, es mucho más placentero que si, simplemente, ocurre".

Recibí una llamada de Daniel acerca de mis cursos. Después de reparar en que su apellido era italiano, le pregunté si estaba ahorrando para un viaje a Italia. Daniel contestó: "Por ser un hombre divorciado y con dos hijas pequeñas, no tengo dinero para vacaciones y aventuras de ese estilo". ¿Cómo le suena esta declaración? ¿Ha habido algún cambio en usted?

ESCRIBA SU PLAN

Es tiempo de escribir su plan: valores ➤➤ opciones ➤➤ acción. Es difícil concebir un plan a toda prueba y garantizar que resulte bien. He aquí unas guías para ayudarle a usted a que tenga éxito.

1. Sea realista: Cualquiera que sea la cantidad de dinero que haya estado pensando ahorrar cada mes para su plan, recórtela a la mitad. Por ejemplo:

Plan dudoso		Revisado (recortado a la mitad) Plan SÓLIDO	
Cuenta para emergencias	$40	Cuenta para emergencias	$20
Cuenta para el automóvil	$10	Cuenta para el automóvil	$ 5
Fin de semana en el mar	$20	Fin de semana en el mar	$10
Ropa nueva	Juego del cambio	Ropa nueva	Juego del cambio

PLAN MAESTRO MONETARIO

Mi compromiso mensual en $ con mis metas	Lo que *realmente* quiero en la vida **MIS METAS**	Cuenta # o nombre del juego	Ene. +	Feb. +	Mar. +	Abr. +

	Cuentas a plazos	Cantidad total adeudada			

> Cuando *no* uso mis tarjetas de crédito y cuando *pago el mínimo* requerido, ¡tengo dinero para mis metas y puedo ver cómo van desapareciendo las deudas!

PLAN MAESTRO MONETARIO *(continuación)*

May. +	Jun. +	Jul. +	Agos. +	Sept. +	Oct. +	Nov. +	Dic. +

(Cada mes, a medida que abona el *mínimo* requerido, reste su pago
del total y observe cómo va *desapareciendo*, el saldo de la deuda.)

VALORES ➺ OPCIONES ➺ ACCIÓN
Me concentro en lo que más **valoro** en la vida.
Elijo mis **opciones** cuidadosamente,
basándome en lo que valoro.
Actúo de acuerdo con los valores que me deparan una
profunda satisfacción interior.

Es duro recortar a la mitad las sumas de dinero planeadas, porque estamos emocionados de empezar por fin. Pero le recomiendo hacerlo. Recuerde que usted siempre puede hacer lo que hizo Tom (ahorrar en año y medio $13 000). Al terminar el curso, su plan era depositar $5 en cada una de sus cuatro cuentas cada mes ($20 en total). Lo que sucedió fue que, al pasar los meses, depositó $30 extras en una cuenta y $50 extras en otra. Ésta es la manera apropiada de hacer las cosas, porque se ha creado una base segura. Si, pasados dos meses, Tom hubiera necesitado súbitamente $200, hubiera podido disminuir cada una de sus cuentas a $10 sin sentirse culpable, porque lo que había prometido eran $5 mensuales.

Relájese. Empiece lentamente. Pero empiece: ésa es la clave. Acuérdese de cuánto tiempo ha estado actuando sin plan alguno. Después, respire profundamente y ponga a funcionar un plan sencillo y realista. Pasarán tres meses antes que se dé cuenta.

Harold asistió tan sólo a una sesión de uno de mis seminarios, compuesto de tres sesiones. Cuando lo vi más tarde, me explicó, dubitativamente, que había tomado $200 de su sueldo y los había depositado en una cuenta de ahorros. Entonces ¿por qué se sentía mal? Con una familia de cinco miembros, con una deuda sustancial en tarjetas de crédito, no podía, de ninguna manera, sacar $200 de los fondos familiares y, dos semanas después, tuvo que retirar el dinero. Si hubiera asistido al resto del seminario, habría aprendido lo importante que es ¡empezar con una suma pequeña y ser realista!

2. Trace su plan con base en la diversión. Es esencial que su plan sea tentador y motivador. Será mucho más divertido cumplirlo. Después, cuando ya esté "atrapado" y haya adquirido el hábito de pagarse a usted mismo en primer lugar, podrá añadir las cuentas de mayor "responsabilidad".

3. Mantenga su plan durante tres meses.

4. Recuerde que hacer algo es mejor que no hacer nada. Mucho mejor. Si de aquí a dos días usted todavía no ha trazado su plan, probablemente nunca lo hará. Elabore su plan ahora mismo, termínelo en dos días y póngalo a funcionar tan pronto como reciba su próximo sueldo. *Páguese primero a usted mismo*, antes de pagar nada más. Es *su* dinero.

5. Su plan debe hacerlo sentirse bien. Después de hacer la lista de todas sus metas y de haber escogido una o dos para las cuales ahorrará durante los próximos tres meses, deténgase y confiérale a cada meta un "peso emocional". En otras palabras, hágase la pregunta: "Si fuera a empezar con una sola meta, ¿cuál me haría sentir mejor?" Cuando una persona tiene entre cincuenta o sesenta años, lo que a menudo la hace sentir mejor es abrir su cuenta individual para jubilación. Saber que tendrá alguna seguridad le produce una gran sensación de paz y satisfacción. Para una persona que está educando a sus hijos, la cuenta para emergencias es probablemente la que tiene mayor peso. Para un profesional joven y soltero, una cuenta para viajar podría estar en primer lugar. Haga lo que sea más satisfactorio y motivador para usted en este momento de su vida.

6. Equilibre su plan. Para que funcione, su plan debe incluir dinero para seguridad y para diversión. El dinero para seguridad le ayuda a dormir en paz, mientras que el dinero para diversión le da un motivo para saltar de la cama por la mañana. Verifique una y otra vez que ha equilibrado su plan basándose en aquellos aspectos de diversión y seguridad que más lo motivan actualmente. No estamos haciendo un plan "responsable", ni un plan para impresionar a alguien. La clave para salirnos definitivamente de nuestros antiguos encuadramientos monetarios es lograr realizar nuestras metas. Muchas personas (entre las cuales me incluyo) empezaron su plan trimestral con una sola meta y para lograrla jugaron al juego del cambio.

CONSEJOS

A continuación encontrará varios consejos e ideas que le ayudarán a concebir y ejecutar con perseverancia su plan.

✦ **Deducción de la nómina y depósito directo.** Si su patrono le ofrece la opción de deducir su salario y depositarlo directamente, le aconsejo que piense en la conveniencia de aprovecharla. Es un servicio magnífico para usted y una estupenda manera de ayudarle a manejar su dinero. La deducción de la nómina y el depósito directo son procedimientos de transferencia electrónica por medio de los cuales su salario es depositado directamente en su cuenta, en su cooperativa de crédito o en su banco el día de pago. Usted ya no tiene que andar por ahí con el cheque de su sueldo, buscando el tiempo para ir hasta el banco, y su dinero puede empezar a devengar interés en el mismo momento en que le pagan.

✦ **¿Qué es un C.D.T.?** Un certificado de depósito a término (C.D.T.) es una forma específica de ahorro que usualmente genera mayores intereses, porque usted se compromete a dejar el dinero en el banco durante determinado tiempo (por ejemplo, tres meses, seis meses, un año, tres años, etc.). Los certificados de depósito a término son una buena forma de depositar el dinero para nuestras metas a largo plazo y para emergencias futuras. Aunque el dinero que está en un C.D.T. es suyo y lo puede retirar cuando quiera, se le cobrará una pequeña multa si lo retira antes de la fecha de vencimiento acordada.

✦ **Escriba una declaración personal sobre el dinero.** Ayúdese a acoplarse a su plan y a esta nueva actitud ante el dinero escribiendo una declaración personal como encabezamiento de su hoja del plan maestro monetario. He aquí lo que escribió Dave, de veinticinco años de edad: "Estoy aprendiendo a hacer que mi dinero trabaje para mí. Estoy en camino de la independencia económica. Mi meta para el futuro: poder ir a donde quiera, cuando quiera, con mi familia, y *no* tener que preocuparme por el dinero". Escriba en un tono positivo, optimista y en *tiempo presente*. Fíjese que Dave escribió "estoy" y no "estaré". Desde el punto de vista emocional, es importante para nosotros emplear palabras que le digan a nuestra psiquis qué está sucediendo, no qué va a suceder en una fecha desconocida en el futuro. En otras palabras, diga: "Me *estoy* pagando a mí mismo en primer lugar", en vez de: "Me *voy* a pagar a mí mismo en primer lugar". (A este respecto, véase la página 224.)

✦ **Haga cosas eficaces.** Juana me dijo: "Acabo de darle a mi hermana $500 para que me los guarde". Ésa es la idea: ser creativo y obtener toda la ayuda que pueda conseguir. Haga cualquier cosa que sea eficaz para lograr sus metas.

✦ **Prevea cómo distribuir su dinero.** Piense con anterioridad cómo distribuirá un dinero inesperado (o esperado). Por ejemplo, puede decidir distribuir pequeñas cantidades de dinero así: 60% para su meta más anhelada y 40 % para su cuenta de emergencias. Sumas mayores pueden diversificarse más aún. Por ejemplo: 20% para la cuenta de emergencias, 60% dividido entre metas a corto, mediano y largo plazo y 20% para un fondo general que lo ayude a pasar el mes.

Cuando hemos decidido cómo distribuir el dinero antes de tenerlo en la mano, es más fácil para nosotros ser objetivos y ser buenos con nosotros mismos cuando llega. He descubierto que es muy útil escribir directamente en mi hoja del plan maestro monetario mi previsión de porcentajes para diversificar el dinero, a fin de poder referirme a él y de que me sirva también como recordatorio.

✦ **Retire únicamente lo que necesite**. Me tomó bastante tiempo poner en práctica este consejo. Cuando transfería dinero de mi cuenta para emergencias a fin de pagar, por ejemplo, $105.88 para que desatascaran una cañería, solicitaba: "Por favor, transfieran $110.00 a mi cuenta corriente". Al redondear la cifra, estaba disminuyendo mi fondo para emergencias en más dinero del que costaba el imprevisto. Ahora ya no lo hago. Si se me presenta una emergencia que cuesta $105.88, ésa es la cantidad exacta de dinero que transfiero.

✦ **Fíjese metas.** A lo largo de los años les he oído a los asesores económicos aconsejarnos que ahorremos el 10% de lo que ganamos. Durante mucho tiempo deseché esa idea, por considerarla imposible. Finalmente un día le di un vuelco a la idea y la convertí en un incentivo. Calculé el 10% sobre mi sueldo neto, y esa cifra se convirtió en mi meta. Quería ir aumentando la suma que sacaba de mi sueldo hasta llegar a ahorrar el 10% de mi ingreso mensual. Una vez que llegué a esa suma, mi próxima meta fue diversificar el 10% del sueldo bruto (mi sueldo completo, antes de las deducciones). Cuando logré ahorrar el 10% del ingreso bruto, ya no necesité más incentivos; ya estaba volando por mí misma.

Otro incentivo es aumentar la suma que dedicamos a nuestras metas en un momento del año en que sea razonable hacerlo. Recuerdo claramente el primer "aumento" que les hice a nuestras metas. Estábamos en el mes de septiembre. Como mi esposo era profesor, el comienzo del curso escolar me pareció el momento perfecto del año para proporcionarnos más dinero para nuestras metas (aunque no nos habían hecho un aumento de sueldo desde hacía años).

✦ **Una velada familiar para las metas**. Esta idea provino de una pareja que asistió a uno de mis seminarios y que, al ponerla en práctica con su familia, resultó un éxito. Una velada familiar para las metas es una oportunidad para que toda la familia se dedique a buscar ideas creativas que impulsen las metas individuales y colectivas y sirvan de base para trazar un plan. Antes que experimente con esta idea, le aconsejo que ponga a prueba su propio plan durante un período de por lo menos tres a seis meses. De esta manera, cuando empiece a sugerir formas de lograr las metas familiares, ya tendrá cierta experiencia personal en la cual basarse, y no será simplemente algo que leyó en un libro. Haga que la velada familiar para las metas sea divertida, estableciendo la regla básica de que todas las ideas deben ser recibidas abiertamente, sin críticas. Probablemente, las dos primeras reuniones serán sólo para producir ideas, para poner a la familia a pensar y a abrirse al sinnúmero de posibilidades que existen para las metas familiares e individuales. Trate de que las reuniones sean cortas y divertidas, a fin de que pueda volver a reunir a la familia y seguir avanzando.

✦ **Déle una nueva asignación al dinero.** Cada vez que haga una nueva elección, recuerde darle una nueva asignación al dinero que *hubiera* gastado y destínelo a sus metas.

✦ **No abandone el barco.** Ponga su dinero en las cuentas para sus metas y *déjelo ahí*. Antes no lo tenía; por lo tanto, actúe como si ahora tampoco lo tuviera. Me refiero a qué debe hacer si dentro de dos semanas o cuatro meses se le presenta un gasto inesperado grande (y probablemente se le presentará.) Si no piensa en esto con anticipación, podrá sentirse tentado a tomar el dinero que ha ahorrado para su meta y utilizarlo para el gasto imprevisto.

La primera vez que esto me ocurrió, pensé: "Nunca antes había ahorrado dinero para una meta. Es más: nunca había ahorrado dinero para nada". Por lo tanto, en vez de destruir mis sueños, que justamente ahora estaban empezando a volverse realidad, decidí manejar la emergencia de la misma manera como la había manejado siempre en el pasado, pidiendo dinero prestado, comprando con tarjeta de crédito, haciendo malabares, realizando una venta de garaje. En otras palabras, manejé la emergencia como si no hubiera tenido el dinero para las metas. (Creo que fue en ese momento cuando abrí mi primera cuenta para emergencias.)

✦ **Hágalo en forma divertida.** Propóngase lograr que el ahorro para sus metas sea lo más divertido posible. En un seminario, James estaba tan emocionado que se levantó y nos contó lo que había hecho: "Cuando cobré mi cheque en el banco, pedí diez billetes de $1. Los llevé a casa y los introduje uno a uno (hizo la demostración con las manos) en mi frasco de mayonesa rotulado 'Motocicleta'. ¡Fue estupendo!"

✦ **Celebre su progreso a lo largo del proceso**. Antes de empezar una dieta, uno se pesa en la báscula a fin de poder medir los progresos. Dedique unos pocos minutos a "sopesar" sus activos y sus deudas, y escriba el resultado al respaldo de su hoja del plan maestro monetario. Aunque esto quizá lo inquiete un poco, la mayoría de las veces termina siendo algo sorprendentemente positivo. Cuando decidí por primera vez evaluar mis activos y mis deudas, estaba convencida de que la balanza se inclinaría totalmente hacia las deudas y que no habría nada del lado de los activos. Afortunadamente, no fue tan grave como me lo había imaginado, y he notado que a la mayoría de las personas les ocurre igual. Todos tenemos algunos activos y generalmente más de los que nos imaginamos. (Claro está, nuestro mayor activo es nuestra maravillosa persona.)

Hacer una estimación del total en cada una de las columnas de activos y deudas puede tomarnos cinco minutos o cinco horas. Cuando les hacen una sugerencia de este tipo, la mayoría de las personas tienden a actuar con la mentalidad de "todo o nada" y optan por nada. En lugar de hacer esto, cronometre cinco minutos, dé la vuelta a su hoja del plan maestro monetario y hágalo. O llene los espacios en blanco del formulario presentado en la página 204. Durante el resto de su vida, podrá volver a mirar estas cifras para medir qué tan lejos ha llegado. Se agradecerá a usted mismo una y otra vez por haber dedicado estos minutos a "sopesar" sus activos y sus deudas, lo que le permitirá celebrar sus progresos.

Activos ¡Usted SÍ tiene activos!		Deudas Sólo piénselo: ¡esta columna está desapareciendo!	
Artículo	Valor estimado	Artículo	Valor estimado
Fecha de hoy:			
Automóvil	_____	Préstamo(s) para	
Muebles	_____	el automóvil	_____
Herramientas	_____	Préstamo(s) para	
Electrodomésticos	_____	estudios	_____
Equipo electrónico	_____	Principal(es) tarjeta(s)	
Joyas	_____	de crédito	_____
Ropa	_____	Tarjeta de crédito	_____
Equipo para		Tarjeta de crédito	_____
deportes	_____	Tarjeta de crédito	_____
Vajilla/cristalería	_____	Tarjeta de crédito	_____
Ahorros	_____	Préstamos(s)	
Valor en efectivo de		bancarios	_____
la póliza de seguro		Préstamo(s)	
de vida	_____	personal(es)	_____
Acciones y bonos	_____	Otro(s) préstamo(s)	_____
TOTAL:	_____	TOTAL:	_____
Bienes raíces		Hipoteca(s)	
TOTAL:	_____	TOTAL:	_____

Separé de la sección anterior los bienes raíces, porque la deuda por este concepto es generalmente a largo plazo. Las deudas a plazos son a un término relativamente corto. A medida que se pague a usted mismo en primer lugar, abone el mínimo a sus cuentas a plazos y deje de usar tarjetas de crédito, la columna de deudas se desocupará rápidamente.

Recuerde que, si dedica cinco minutos ahora mismo a evaluar sus activos y sus deudas, durante el resto de su vida podrá volver a mirar la situación económica que tenía hoy y celebrar cuán lejos ha llegado.

CONSEJOS PARA PAREJAS

1. A cada cual lo suyo. Cada persona que mantiene una relación con otra (o con su familia) necesita tener su propia meta separada, a la par que metas en común o familiares. Una manera segura de crear resentimiento y congoja en una relación es convertir la meta de una persona en el centro de atención mientras se deja a un lado el sueño de la otra persona. Eso no funciona (al menos, no funciona por mucho tiempo). Si $10 es lo máximo de que pueden disponer, entonces $5 deben ir a la cuenta de cada persona. A medida que cada individuo experimenta la satisfacción de ver que los sueños se vuelven realidad, la felicidad experimentada se compartirá en la relación. Sin duda, es una situación en que ambos ganan.

2. Planeen juntos. Una vez que cada uno de ustedes haya establecido sus metas separadas, piensen en planear algo agradable para los dos. Sandra y Dave ahorraron su cambio y lo gastaron en un fin de semana romántico en un hotel de lujo.

3. ¿Dos ingresos? En la sociedad actual es muy tentador contar con dos ingresos sólo para tratar de "pasarla bien". Demasiado a menudo, nuestra ambición de tener mejores automóviles y casas más grandes no nos permite darnos cuenta de que hemos perdido la libertad. He aquí algunas razones para no caer en la trampa de los dos ingresos (o para tratar de salir de ella, si ya se encuentran allí): Los niños: si están dependiendo de dos ingresos sólo para lograr llegar a fin de mes, ninguno de los dos padres está libre para estar en el hogar con los niños (para educarlos o cuidarlos durante las enfermedades). La muerte: si uno de los miembros de la pareja muere súbitamente, el otro no puede sostener los gastos solo. El divorcio: no sólo puede el estrés que produce la necesidad de dos sueldos aumentar el conflicto conyugal, sino que, a menudo, mantiene a los individuos en una relación destructiva, porque se sienten económicamente atrapados. La falta de opciones: uno de los aspectos hermosos de mantener una relación es apoyar a la otra persona para que logre sus metas o satisfaga sus necesidades individuales. Si una pareja requiere dos ingresos sólo para cubrir los gastos mensuales, el estrés agrava tremendamente las dificultades en la relación. Las necesidades emocionales y físicas, tales como la necesidad de tomarse un descanso, de volver a los estudios o de cambiar de carrera, no se pueden satisfacer sin hacer cambios importantes en el estilo de vida.

Les recomiendo que traten de pagar los gastos mensuales con un solo sueldo.

Así, no sólo tienen ustedes libertad y mayores posibilidades, sino que el segundo sueldo se puede emplear en su totalidad para diversificarlo entre sus distintas metas.

4. Hágalo para usted. Usted puede estar leyendo este libro con la esperanza de que su pareja lo acompañará en el intento de aplicar estas ideas. Infortunadamente, él o ella puede resolver no participar en la experiencia. (Lo sé porque estuve sola aplicando estos principios sobre el dinero durante todos los años que estuve casada.) Charlene les dio recientemente a sus empleados una bonificación para los días festivos. Me contó que un empleado exclamó: "Esta bonificación es para mí. Mi mujer administra todo el dinero del hogar, pero este dinero es mío". Nancy escribió lo siguiente en su evaluación de la última clase: "Sé que voy a ahorrar con mi marido o sin él".

RESUMEN

Hace algunos años, cuando estaba elaborando el plan maestro monetario para mi familia, abrí una cuenta y la denominé "emergencias en el futuro". Hacía transferir automáticamente a la caja de ahorros, por depósito directo, $30 a esa cuenta cada mes cuando llegaba el sueldo de mi marido. Un poco después de dos años, los maestros del distrito escolar en que trabajaba mi marido entraron en huelga y nos quedamos sin el sueldo del mes. El futuro se había vuelto el presente.

Nuestro dinero de "emergencias en el futuro" había estado creciendo en nuestra caja de ahorros y en un certificado de depósito a seis meses y se había convertido en $917. ¡Qué alivio! Logré pagar los $450 de la cuota de la casa y hacer abonos mínimos al dentista y a las compañías de tarjetas de crédito. Preparando comidas simples a base de sopas y pastas, pasamos el mes. Fue una experiencia fenomenal para mí. Todo un mes sin sueldo y no recurrimos a nuestras tarjetas de crédito, ni pedimos prestado a nuestros parientes, ni retiramos dinero de nuestras cuentas para las metas. Esos escasos $30 depositados fielmente cada mes en nuestra cuenta de emergencias en el futuro nos proporcionaron grandes dividendos. Quedé convencida. Al mes siguiente, cuando recibimos el sueldo, aumenté la suma que iba a nuestra cuenta de emergencias en el futuro de $30 a $50 mensuales.

Recuerde que es más importante empezar inmediatamente a hacer algo bien que esperar hasta que piense que puede hacerlo a la perfección. Deposite su cambio en un frasco rotulado, introduzca billetes en una media etiquetada, deténgase en su caja de ahorros y abra una cuenta para una meta específica, o envíe un cheque cada mes a un amigo que viva a mil kilómetros de distancia. Ni todo ni nada: sólo haga algo.

Váyase a dormir esta noche con la profunda satisfacción de saber que ha empezado a tomar medidas con su dinero, que ha dado ese primer paso esencial que transformará su futuro en forma total.

SIETE

En resumidas cuentas, ¿qué debo hacer de ahora en adelante?

*Si usted tiene dos centavos debiera comprar un pan
con uno, que lo mantendrá vivo, y una flor con
el otro, que le dará una razón para vivir.*

— Adaptación de una máxima de Mahoma

Un día, mientras caminaban por la sección de muebles de un almacén de departamentos, la hija de K. W. dijo:

— Mamá, yo quiero una cama con dosel como ésa.

— No podemos darnos el lujo — respondió la madre, que había asistido a uno de mis seminarios.

— ¡Sí, sí podemos! — exclamó la niña de siete años —. Todo lo que tenemos que hacer es ponerle a un frasco el letrero de "Cama con dosel" y empezar a poner dinero en él. ¡Muy pronto tendremos suficiente para comprarla!

Eso es. Esta niña de siete años de edad lo comprendió. Sabe qué es importante para ella y qué debe hacer para conseguirlo. Pero ¿qué ocurre si, unos pocos días después, la niñita quiere un par de patines? A la mayoría de los adultos les acometería el pánico y dirían: "¡Oh no! ¿Ahora qué más?" Pero la niña se aferraría a esta nueva meta. Una de dos: o toma un frasco nuevo y lo rotula "Patines" o pega la nueva etiqueta "Patines" encima de la de "Cama con dosel". Es así de simple.

Simplificar es una de las mejores maneras de asegurar su éxito con el dinero y casi con cualquier otra cosa. He aquí cómo le funcionó a Chris la aplicación del mismo principio en otro aspecto de la vida. Simplemente cambió "yo debiera" por "yo quiero", y he aquí lo que le ocurrió. "He bajado los seis kilos que he estado luchando por quitarme de encima desde hace diez años. Lo que hice fue abrir la nevera con una nueva actitud. En lugar de decir 'Debiera comer zanahorias o apio', dije: 'Quiero que mi ropa me quede bien. Quiero verme y sentirme bien. Quiero comer lo que me ayude a lograr mi meta'". Y así lo hizo.

Aunque lo que queremos hacer con nuestro dinero es bastante simple, los obstáculos en el camino son, a menudo, monumentales. Ello implica abandonar nuestras viejas actitudes y patrones familiares y dar un paso en el mundo desconocido de las nuevas opciones. Usted leyó que algunas personas se retiraron de mi seminario, asustadas y renuentes, preguntándose: "¿Puedo realmente cambiar mi situación? ¿Es posible que depositar monedas en un frasco pueda realmente significar algo? ¿Es posible enfrentar en una forma tan simple algo que me tiene atrapado e inmovilizado?"

Oigamos algunas historias para ver qué ha ocurrido.

Mientras lee, ponga especial atención a los cambios que la gente ha experimentado en su carácter. Observe que sus sentimientos negativos acerca del dinero y las cuentas han sido reemplazados por un espíritu positivo y lleno de esperanzas. Pronto (si no ya) usted también estará experimentando estos poderosos y reconfortantes sentimientos en forma permanente.

"Me encontraba abrumada por la ira — escribió Margaret, una madre sola, trabajadora independiente, de cuarenta y seis años de edad —, y en vez de escribir algo colérico, me apresuré a abandonar su clase. Cuando tomaba su curso, vivía mes a mes con mi ingreso, utilizando tarjetas de crédito para gastos extraordinarios. En la última clase, usted nos pidió que escribiéramos qué pensábamos acerca de lo que habíamos aprendido. Tenía un ardiente deseo de poner orden en mi vida y sabía que usted nos había dado la información que yo necesitaba, pero tenía miedo de cambiar. Sufrí muchos días mientras inicié y puse en práctica el programa prescrito.

"Ahorré el cambio y abrí varias cuentas en una caja de ahorros. Las tarjetas de crédito habían sido mi 'diversión'. Compraba ropa con ellas e hice un viaje a Hawai y a varios centros de vacaciones. Vivir del dinero que ya tenía me parecía algo sin gracia y más bien cierta forma de castigo, pero estaba dispuesta a probar, con la esperanza de cosechar más tarde.

"Han pasado doce meses desde esa clase. Por primera vez en mi vida, mis impuestos trimestrales están pagados, tengo dinero en mi cuenta corriente, he satisfecho las necesidades de mis hijos, los saldos de las cuentas de tarjetas de crédito están desapareciendo y tengo $5 000 ahorrados.

"Todavía tengo mucho camino por recorrer, pero puedo visualizar claramente lo que ocurrirá. Lo que antes era una forma de sentirme víctima se transformó en un sentimiento de *dominio*. Sé que seré dueña de mi casa en un futuro no muy lejano. Estoy ahorrando dinero para mis hijos y para mí. Voy a ir a Europa por primera vez. Lo que antes no eran más que vanas ilusiones es ahora una realidad. Su curso me ayudó a doblar la esquina para encontrar un futuro más prometedor".

He aquí lo que Julie compartió conmigo: "Creo que lo que me sedujo en la primera clase fue lo del frasco del dinero. Ahorrar todas las monedas durante una semana y sentir ese deleite de contar el dinero y decir: '¡Dios mío, he ahorrado $7, $8 o $9 y no ha sido trabajoso!' Creo que es necesario poder *tomarlo, olerlo y sentirlo;* tiene que ser tangible, porque para muchos el dinero ha sido demasiado esquivo".

Julie continuó hablando sobre el poder que tiene ahora. "Si hubiera perdido mi puesto antes de haber tomado su curso, probablemente habría tenido que ir a pedirles dinero a mis padres, lo cual me hubiera hecho sentir humillada. Lo que me ha permitido el dinero que he ahorrado es sentarme y esperar a que aparezca el trabajo adecuado. Tengo opciones y he rechazado varios trabajos. Poder decir: 'No me gusta su plan de beneficios, no trabajaré para usted' me hace sentir realmente poderosa. No estoy desesperada. En cambio, si hubiera sucedido antes, habría aceptado lo primero que me hubieran ofrecido, me gustara o no; simplemente me hubiera esclavizado".

Mientras lee la siguiente historia, observe que parece que Miguel se siente "libre" de muchos sentimientos negativos: "Ahora no hay sentimiento de culpa ni vergüenza. Ya no siento la terrible angustia de estar siempre endeudado y no tener nunca suficiente dinero. Ni el horrible sentimiento de gastar demasiado y después arrepentirme. Ya no tengo el 'remordimiento del comprador', porque ahora planeo qué voy a comprar. Simplemente gasté $150 en algo. No sé si lo necesito particularmente, pero me encantó comprarlo y es un lujo maravilloso. Pude hacer eso, pagar mis cuentas, ahorrar dinero, comer y hacer todas las cosas que necesitaba hacer. Me compré un poco de felicidad".

A medida que procedemos, nuestra vida se expande más allá de lo que hayamos imaginado. Nuestras nuevas opciones hacen surgir oportunidades. He aquí lo que le sucedió a Mary Ann: "Me entusiasmé con la idea de averiguar acerca de un curso de actualización médica. Costaba $450, ¡y *tuve el dinero para tomarlo!* Antes, cuando vivía de sueldo en sueldo, no podía pensar en hacer algo distinto, aunque me daba cuenta de que las oportunidades se estaban agotando. Ahora, tuve la opción, porque tenía el dinero para decir: 'Puedo tomar parte de este dinero e invertirlo en mí misma'. Fue un sentimiento agradable tener el dinero en efectivo para hacerlo. Hace un año no hubiera podido considerar siquiera esta posibilidad.

"Lo bueno es que yo controlo mi destino y no la empresa en donde trabajo. Yo tengo el control. Incluso si mañana perdiera mi empleo, todavía tendría una opción. Antes me la pasaba diciendo: 'Oh, no puedo permitirme esto, no puedo permitirme aquello'. Era un lamento permanente. Pero ahora puedo permitírmelo, porque tengo el dinero. Antes simplemente no estaba utilizando el dinero apropiadamente".

Otras personas también notaron el cambio. Mary Ann continuó diciendo: "Alguien en el trabajo había tenido problemas con la administración y le dijeron: 'Realmente debiera hacer algo como lo que ha estado haciendo Mary Ann, porque eso ha hecho que su vida sea muy diferente'. Pues bien: solamente he hecho dos cosas. Una de ellas fue ACA (el proceso de crecimiento en doce pasos para los hijos adultos de alcohólicos), y la otra, asistir a su seminario, y ambas versan sobre el mismo tema: hacerte cargo de tu vida y no sentirte una víctima. Básicamente, ése es el fondo del asunto. No tienes que ser una víctima de tu dinero. Mientras esté progresando, eso es todo lo que puedo pedir. Mi ingreso no ha cambiado mayormente, pero tengo mucho más dinero.

"Me siento inspirada. Todos los días me digo a mí misma: 'Controlo la situación'. Cuando algo malo se presenta, es un obstáculo pero no una caída. Simplemente salto por encima y continúo andando. Antes, cuando no tenía ningún dinero, ni controlaba la situación, una crisis era una caída grave y erraba el camino. Ahora, es sólo un obstáculo y me mantengo en mi camino".

Uno de los mayores beneficios de esta actitud ante el dinero es que usted empezará a sentirse mejor y a ver resultados rápidamente. Janell me escribió sólo cuatro meses después de haber asistido al seminario: "He abierto una cuenta para vacaciones en una caja de ahorros distinta, a la cual es difícil llegar, y no tengo una tarjeta de transferencias para esa cuenta. Mi idea es tomar unas vacaciones, por primera vez en mi vida (tengo cincuenta y tres años de edad), en diciembre, en México, que estén totalmente pagadas antes de irme.

"He estado ahorrando todo mi cambio en una alcancía en forma de cerdito, y cada quince días lo saco, lo cuento y lo deposito en la caja de ahorros. Hasta ahora he ahorrado $78 en monedas. Van para mi cuenta de vacaciones, que ya tiene $700".

Tal vez recuerde usted el caso de Marcus, que relaté en el capítulo 1. Una experiencia en su trabajo le hizo comprender que estaba poniendo sus cuentas en primer lugar y no sus metas. He aquí lo que Marcus dijo año y medio después: "Sin querer parecer melodramático, debo decir que mi vida ha dado un giro de ciento ochenta grados.

"Cuando la conocí a usted, Carol, hace quince o dieciséis meses, debía cerca de $10 000 en varios préstamos y en tarjetas de crédito. Había momentos en que la situación era realmente dura y tenía que hacer algo económicamente creativo para lograr que las cuentas pudieran pagarse a tiempo. Pero la cuestión verdaderamente importante, en el fondo, era que yo no era feliz.

"En septiembre pasado, acababa de cumplir treinta años y quería convertir ese hecho en algo muy especial yendo a Suecia. Tenía con qué, gracias a la caja de los sueños que usted me dio y a su plan de reservar para ella el dinero de bolsillo y unos pocos billetes tomados de aquí y allá. Es impresionante la suma tan grande en que eso se convirtió. Pero, debido a que no tenía suficiente antigüedad en mi trabajo, no me dieron el permiso. Me sentí desilusionado, pero ese dinero está guardado, esperando un viaje a Europa en la primavera próxima.

"Mi problema antes era que vivía permanentemente preocupado por pagar las cuentas. Ahora, como continúo haciendo el abono mínimo, las cuentas se están pagando. Y no he contraído nuevas deudas.

"Me ha tomado largo tiempo, pero algo que he logrado aceptar y comprender es que mientras se esté operando un cambio en mi comportamiento, no importa que no se note, porque con el tiempo se notará. Un amigo mío utilizó el ejemplo de tener 62 kilos de exceso de peso. Dijo que se había sentido realmente desilusionado después de perder los primeros dos kilos, porque no se notaba. Entonces, un amigo le dijo: '¿Sabes? Es parecido a lo que pasa con un balde de arena. Si le sacas una taza de arena, se nota; pero si le sacas una taza de arena a una playa, no se nota. Sin embargo, en ambos casos es una taza de arena, y son igualmente importantes'. Adapté un poco esta idea a mi propia situación, en cuanto a reducir mi deuda. Pienso que $5 hoy puede que no se noten, pero importan y, con el tiempo, se notarán".

Marcus continuó: "Lo que me ha ocurrido es realmente profundo y ha tenido efectos de gran alcance en todos los aspectos de mi vida. ¡Me siento tan tranquilo respecto al dinero, Carol! Ya no es una preocupación. Estoy dirigiendo mi energía y mi atención hacia cosas que realmente importan en mi vida. Eso ha sido fundamental para mantener la 'sobriedad monetaria', como la llamo yo. Abusaba del dinero como abusaba del alcohol en el pasado. Mi meta principal es tener los sueldos de un año en una cuenta de ahorros que no toque para nada, siempre y cuando que no esté desempleado. No es dinero para vacaciones, ni para comprar un nuevo equipo estereofónico. No. Es dinero que está ahí para la eventualidad de que quede sin empleo.

"Causé un accidente automovilístico menor, en este verano, que me costó cerca de $1 000 en reparaciones. Comprendí que, si acudía a mi compañía de seguros, era casi seguro que mis cuotas se duplicarían. Por lo tanto, miré mi pequeña cuenta de ahorros y decidí pagar las reparaciones con dinero de mi bolsillo, prometiéndome reemplazar el dinero con algo extra cada semana. Tuve una opción que nunca antes había tenido, porque ahora tengo una cuenta para emergencias.

"Antes experimentaba una sensación de desesperanza y vergüenza. Sentía que debía de ser una mala persona porque no manejaba mi dinero bien. Constantemente me reprendía a mí mismo: '!Por qué no puedo manejar mi dinero!' Revivía todos esos mensajes que recibí en mi infancia: 'No eres más que un niño, ¿qué podrías saber acerca del dinero?' '¿Cuánto cuesta eso?' 'Bueno, eso no te incumbe, eres sólo un niño'. Me daba mucho miedo lo que podría suceder si no podía pagar mis cuentas. ¿Qué pasaría si mis padres descubrían que las cosas no eran como parecían ser? ¿Cómo reaccionarían mis amigos si descubrían que yo no podía manejar mi dinero? Y la forma en que yo respondía a la gente que tenía problemas de dinero: 'Pues algo debe de andar mal', como si fuera un secreto vergonzoso.

"Soy mucho más feliz hoy que antes de conocerla. Estoy progresando. A veces es un poco difícil avanzar, pero estoy llegando. Sé que puedo elegir, que tengo opciones. Mando sobre mi vida y no siento que me esté estancando. Emocional y espiritualmente, estoy lejos del estancamiento. Adquirir control sobre mi dinero hizo posible el cambio".

Puede haber algunas sorpresas que nos esperan a medida que nuestra vida, en relación con el dinero, va estando bajo control. Hubo algunas cosas que para Anne fueron un verdadero cambio respecto a lo que estaba acostumbrada. "Por primera vez en mi vida estoy teniendo problemas con los funcionarios de impuestos. Les pregunté: '¿Cómo es eso de que tengo que pagar todo ese dinero por concepto de intereses recibidos?' ¡Tuvimos una verdadera confrontación! No pude menos que sonreír porque, en los viejos tiempos, nunca hubiera tenido este tipo de problemas.

"Nunca pensé que tendría que pagar un impuesto sobre ganancias de capital o un impuesto sobre ingresos por intereses. Pensé: 'Caramba, realmente estoy cambiando, tendré que conseguir a alguien para que me ayude a hacer mi declaración de renta'. Es curioso: toda mi vida tuve que llenar únicamente un formulario; ahora me vi obligada a conseguir un montón de ellos para explicar todo ese embrollo. 'Pues si es así — me dije — conseguiré un contador'. ¡Y lo hice! ¡Me convertí en una burguesa!"

Mi amigo el escritor Dan Jordan lo explica muy bien: "Saber lo que usted quiere y proponerse conseguirlo, requiere agallas. Se necesita coraje para persistir". Yo sé que *usted* tiene coraje; lo sé porque escogió este libro acerca de uno de los temas más conflictivos: el dinero. Cada vez que valientemente tomamos la decisión de actuar de la manera más conveniente para nosotros, la calidad de nuestra vida mejora. Por lo tanto, emplee su valentía para superar sus miedos y aprensiones y entrar en acción. Derribe los muros que lo detienen. Hágalo. Esta vez tendrá éxito. ¿Por qué? Porque ha *elegido* tener éxito.

Nuestros miedos no desaparecen de la noche a la mañana, y nuestros problemas de dinero no se solucionan en un día, pero los pasos que damos producen grandes dividendos desde el comienzo. Amy escribió: "Aprendí que el dinero puede ser o un amigo o una pesadilla, según como lo maneje. Me pago a mí misma en primer lugar por lo menos el diez por ciento de mi sueldo. Fui a una caja de ahorros y abrí distintas cuentas para varias metas, especialmente una cuenta para 'emergencias'. Ésta me ha ayudado en cosas costosas como las licencias para el automóvil. Me pagan un poco mejor en mi nuevo trabajo, pero todavía no tengo $200 disponibles para gastar en cualquier momento.

"Reúno todo el cambio que me sobra y al final del día lo deposito en un frasco. Lo que entra no sale antes del fin del mes, momento en el cual lo empaco y lo deposito en una de mis cuentas para 'diversión'.

"Los torneos de artes marciales me obligan a salir de la ciudad ¡y es muy agradable haberlos pagado antes de irme! Tal vez no soy la mejor estudiante, pero he hecho algunos cambios. Como dice un amigo mío: 'no trates de mejorar una cosa el 100%; tan sólo mejora 100 cosas el 1% y habrás logrado un progreso del 100%'".

Al tomar la decisión de actuar de una manera nueva le estamos dando un vuelco completo a la mística del dinero. Todo es lo mismo. Sin embargo, nada es igual. Podemos parecer iguales, pero seguramente no nos sentimos iguales. Estamos actuando a partir de una fuente de energía positiva con que antes no contábamos. Ahora tenemos calidad, diversión y claridad de propósitos frente a nuestra vida.

Lynn escribió: "¡Huy! Esto da miedo. He estado tratando de ahorrar pero nunca he tenido éxito. ¿Seré capaz? Me da miedo que al intentarlo, no logre mis metas o, que si las logro, puede que no sean lo que yo quería".

En el pasado hemos jugado al "gran escape". Inconscientemente sabemos que no tenemos que admitir el fracaso en algo que nunca hemos ni siquiera intentado. Nos engañamos diciendo: "Yo nunca he querido viajar, ni tener los lujos que otra gente desea". La verdad es que tenemos miedo de intentarlo, porque si lo intentamos podemos fracasar, ¿y cómo enfrentaremos un fracaso más? Esta vez no tiene que jugar ese juego, porque esta vez tendrá éxito.

Los demás notarán los cambios positivos en usted y querrán conocer su secreto. Explicar su recién adquirido entusiasmo puede resultar complicado. Es difícil, porque no son las cuentas de ahorros diversificadas ni las monedas en el frasco las que cuentan la historia. La magia y el poder están en la manera como usted se siente. Al tener un plan ha reemplazado la desesperanza por la esperanza. La depresión y el desánimo fueron barridos por la felicidad y la ilusión que produce la realización de los sueños. Y los sentimientos aterradores y sobrecogedores que antes reinaban han sido reemplazados por la vigorizante sensación de dominio.

No estamos cambiando simplemente la manera de manejar nuestro dinero; estamos cambiando la manera de manejar nuestra vida. Estamos experimentando la libertad de elegir, que proviene de disponer de dinero para lo que nos gusta hacer. Somos más optimistas; somos más felices. Por eso no debe sorprendernos que la gente lo note y desee conseguir lo que nosotros hemos encontrado.

Los próximos meses y años durante los cuales estará construyendo una base y adquiriendo dominio sobre su dinero son un período excelente para leer y aprender más pormenores sobre el mundo del dinero. Le recomiendo que asista a conferencias y seminarios sobre temas económicos y que saque de la biblioteca libros sobre dinero e inversiones. K. W. escribió: "Me encanta leer libros y artículos, asistir a seminarios y escuchar a la gente hablar acerca de cómo ahorrar dinero, vivir de manera más económica y simplificar la vida. Su visión me animó a desconfiar de la información de los medios de comunicación y a decidir por mí misma qué es importante en la vida".

Lea, escuche y aprenda, de manera que cuando haya logrado construir una base económica sólida y esté listo para "arriesgar" (invertir), sepa algo acerca de las inversiones. Estará preparado y podrá, ya sea manejar su propia cartera o hacer el seguimiento de las operaciones de las personas o de las entidades en las cuales usted deposite su confianza y su dinero.

Mi esperanza es que este libro haya sido para usted una gran invitación: una invitación a creer más profundamente en usted mismo, una invitación a avivar su energía interior a medida que vuelve a dar vida a sus esperanzas y sueños.

Las viejas pautas de pensamiento y de acción son resistentes al cambio y es muy difícil superarlas. Mis parabienes si es capaz de llevar a cabo resueltamente su plan para conseguir la calidad de vida que se merece.

Tal vez ha notado que mi modelo de la tortuga con ritmo uniforme aparece periódicamente a lo largo del libro. La tortuga es importante para mí porque me recuerda a mi padre. Mi padre es mi modelo por excelencia y mi inspiración para vivir la vida con un ritmo uniforme y constante. Además, mi padre me inculcó una ardiente fe en mí misma. De tiempo en tiempo, a lo largo de mi vida, mi padre me decía: "Carol, si alguna vez te preguntan: '¿Sabe usted hacer esto o lo otro?', no dudes en contestar: 'Nunca antes lo he hecho, pero sé que podré hacerlo'".

El inspirador regalo que me hizo mi padre es ahora mi regalo para usted. Y ahora le pregunto: "¿Alguna vez ha manejado su dinero en forma tal que se sienta profundamente satisfecho y con la situación bajo control?" Y usted responde valientemente: "¡Nunca antes lo he hecho, pero sé que podré hacerlo!"

Ha sido un honor compartir con usted las ideas y experiencias de este libro. La vida es valiosa y usted es valioso. Escuche esa parte de su ser maravillosa y llena de sensatez que sabe, en todo momento, qué es lo mejor para usted, y confíe en ella. Recuerde que cada vez que usted decide mejorar su propia calidad de vida, podrá también mejorar la de los demás. Sea amable con usted mismo. Las viejas pautas de comportamiento tienen profundas raíces. Le tomará tiempo establecer una nueva manera de actuar, y le tomará aun más tiempo hacer que la nueva manera se vuelva más familiar que la vieja. Mientras tanto, recuérdese que debe avanzar en forma pausada y tranquila, como la tortuga, gozoso de saber que se está acercando más y más a la realización de sus sueños.

∾

Posiblemente usted se pregunte: "¿Estará obteniendo Carol Keeffe lo que quiere en la vida?" Mi respuesta es: sí, cada vez más. Estoy viviendo y actuando más que nunca con fundamento en mis valores, y estoy haciéndolo cada vez mejor. Cuanto más reclamo lo que verdaderamente valoro en la vida, más preciados momentos disfruto. Lo aplaudo por elegir lo que usted más valora. Le deseo incontables momentos maravillosos.

En la página siguiente hay una lista de afirmaciones. Le recomiendo recortarla y fijarla en un lugar en que pueda leerla en voz alta con frecuencia. Cada vez que lea estas vigorosas declaraciones, se sentirá un poco más fuerte y tendrá una mayor claridad de propósitos.

ME PAGO A MÍ MISMO EN PRIMER LUGAR

Me pago a mí mismo en primer lugar
todos y cada uno de los meses.
Soy importante. Estoy ahorrando dinero
para mis metas.
Soy consciente de que tengo un mayor
número de opciones.
Sólo gasto el dinero que tengo.
Abono sólo el *mínimo* requerido a
mis cuentas a plazos.
He señalado mis metas y procuro lograrlas.
Acepto el desafío de hacer que mi
dinero trabaje para *mí*.
Mando sobre mi dinero.
Me estoy volviendo económicamente *independiente*.
Estoy *tranquilo* porque sé que tengo un plan
para mi ingreso.
Estoy logrando mis metas.
Mis sueños se están realizando.

AGRADECIMIENTOS

Me gustaría agradecer a mi padre, Mike Keeffe, por haberme servido de amoroso modelo de autenticidad y simplicidad a lo largo de su vida. Gracias, papá, por el profundo respeto que me has tenido toda la vida, por creer siempre en mí y por quererme tal como soy. A mi madre, Jean Taylor Keeffe, quiero darle las gracias por ser un poderoso ejemplo de generosidad. Me has enseñado que siempre hay espacio para uno más en nuestra mesa y que hay suficiente amor para acomodar a uno más (incluso a los animales) para que pase la noche bajo nuestro techo. Tu hermoso ejemplo me ha mostrado cómo abrir mi corazón a todos los seres vivos.

Gracias a Gia, cuyo amor y espíritu están vivos en mí y me proporcionan la seguridad y fortaleza para atreverme a ser yo misma.

Estoy profundamente agradecida con las siguientes personas, quienes, al quererme en forma incondicional, me invitan a creer en mí misma y a ser yo misma: LesLee Reilly Vetorino, por ver siempre en lo más profundo de mí misma; Catherine Dean (Lamerson) Colter, por celebrar mi belleza y ayudar a que la vida sea una fiesta maravillosa; Carol Brownell Ames, por amarme y confirmarme en que debo ser tal como soy; Chuck Custer, por tratarme con admiración y profundo respeto; Donna Varnau, por creer en mí y por invitarme continuamente a superarme; Gail

Carlson, por su amor, su ánimo contagioso y su alma hermosa; Nancy Keeffe Horyza, por su valentía para sanar y por sus demostraciones hacia mí; Nancyanna Dill, por ser la preciosa persona que es; Mary Ann O'Mara, por confiar y creer en mí en cualquier circunstancia.

Les doy mis agradecimientos y mi amor a las siguientes personas, por su ayuda a lo largo del camino. Cada uno de ustedes, a su manera, ha marcado mi vida y, gracias a su amor, ha hecho de mí una persona mejor: Connie Durbin, Cindy Poppelwell Schweitzer, John Robert Smith, Jr., Katherine Keeffe Johnson, Dan Jordan, Jean (Eugenia) Keeffe, Marcia Johnson Kelly, Carolyn Traub, Donnie Keeffe, Art Hartley, Sandy Wilson, Tony Hansen, Marcus Erickson, Tom Kelly, Mark Mayberry, Dorothy Craig, Linida Schaffer, Candace Gilmore, Vicki Long, Jerry Magelssen, Mike Dobb, Diana Fairbanks, Mary Harris-Giles, Donna Mae Nunn, Charlene Woodward, Virgle y Beulah Harrell, Karen Bjorback, Murray Gordon, Patty Blunt Hargrove, Rowena Bethards, Dana Becket, Tom Guzzardo, Brian E. Davis, Jeannie Adams Sitter, Herb Bridge, Nancy Mueller, Rosarii Metzger y Delney Hilen.

Mis especiales agradecimientos a quienes me ayudaron específicamente con el libro. En primer lugar, quisiera agradecer a la escritora Susan Page, quien, sin haberme conocido personalmente nunca, me animó, me apoyó y creyó en mí y en mi libro y me presentó a Dorothy Wall (editora extraordinaria) y a Patti Brietman (la mejor agente literaria del mundo). Mis más sinceros agradecimientos a Chuck Custer por su apoyo. Gracias por ayudar en la preparación editorial de mi libro y por reafirmar mi capacidad como escritora. A mi agente, Patti Brietman, le debo entrañables agradecimientos por su apoyo permanente, su estímulo, su consejo y su excelente representación. Mis agradecimientos a Janet Abbott, por su amistad y sus inestimables sugerencias sobre organización.

Muchas gracias a mi madre, Jean Keeffe, por las interminables horas que dedicó a revisar el texto y, en particular, por descubrir las fallas y sugerir con exactitud la palabra apropiada o la frase que se necesitaba. Mis agradecimientos especiales a Betty Power, editora principal de Little, Brown, por revisar el original y por hacerme saber que le gustaba lo que había escrito. A LesLee Reilly Vetorino, por dedicarse a leer y editar el original hasta altas horas de la noche, a fin de que pudiéramos viajar a Hawai. A Brian E. Davis, por leer el manuscrito y especialmente por sus estimulantes comentarios y puntos de vista. A Janice Leah Tolnay, de Oceana Word Processing, por su excelente trabajo de transcripción. Y especiales agradecimientos para mis editores de Little, Brown: Tracy Brown, Mary South y Jennifer Josephy. Agradezco a cada una de ustedes su apoyo, su experta ayuda y su fe en mí y en mi libro. Gracias a Jen Stein y Abby Wilentz, por su calor, entusiasmo y ayuda a lo largo del proceso de publicación.

Mis agradecimientos especiales a los miembros de NSA (National Speakers Association), y en particular a los miembros del Pacific Northwest Chapter de NSA, por su inspiración y permanente apoyo. Deseo expresar mi gratitud a la Escuela Experimental de Estudiantes Asociados de la Universidad de Washington por concederme el privilegio de dar mi seminario sobre pagos y salarios, cada trimestre, durante los últimos diez años.

Me quito el sombrero ante los maravillosos hombres y mujeres que asistieron a mis seminarios desde 1982. Gracias por sus preguntas, su participación y su disposición a la vulnerabilidad. Le envío mis cálidos agradecimientos a cada uno de quienes me han llamado, me han escrito o me han permitido entrevistarlos. Al compartir sus luchas, éxitos y experiencias son ustedes una inspiración para los demás y han añadido interés, sabor y credibilidad a este libro.

Saludo a LesLee, Dean y Carol, tres resueltas y fenomenales mujeres, que han iluminado mi vida con su amor, alegría y permanente fe en mí. Ustedes son mi inspiración y apoyo constantes. Me ven tal como soy y me quieren por ser yo misma. Su fe en mí me ha ayudado a atravesar mis épocas más difíciles, su amor me invita a ser yo misma y su apoyo me anima a aferrarme a mis sueños. Yo las amo: Dean, Carol y LesLee.